Schwaben sind Feinschmecker

und sie beschränken sich keineswegs darauf, Spätzle perfekt zu schaben. Gutes Essen ist für sie eine Weltanschauung. So duftet es aus Schwabens Töpfen denn verführerisch nach raffinierten Suppen, bodenständigen Eintöpfen, kräftigen Brühen und feinen Fleischgerichten mit gehaltvollen Saucen. Und weil eine Mahlzeit ohne Nachtisch nicht vollständig wäre, kennt auch hier der Erfindungsreichtum keine Grenzen: Beim Essen wird in Schwaben auf keinen Fall gespart!

Die Farbfotos gestalteten Odette Teubner und Dorothee Gödert.

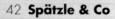

Obst gedeiht im milden Klima des Bodensees besonders gut.

Die Grenzen lassen sich nicht genau definieren. Der größte Teil Schwabens liegt in Baden-Württemberg und reicht etwa von Heilbronn im Norden bis an den Bodensee im Süden. Im Westen ziehen sich die Grenzen bis nach Südbaden, im Osten bis nach Bayern, wo es einen Regierungsbezirk Schwaben gibt. Dieser umfaßt eine Fläche von fast 10.000 km², welche grob gesagt zwischen Donau, Lech und Bodensee liegt. Ursprünglich, zu habsburgischer Zeit, war das schwäbische Gebiet wesentlich größer. Es umfaßte das Elsaß, Südbaden, Liechtenstein, Vorarlberg und die deutschsprachige Schweiz.

Schwabe ist, wer schwäbisch spricht!

Wer sind diese Schwaben? Was zeichnet sie aus? Am besten läßt sich das mit Thaddäus Troll erklären: »Schwabe ist, wer schwäbisch spricht.« In der Abstammung sind sie Alemannen. Der Name Schwaben leitete sich von dem germanischen Volksstamm der »Sueben« ab, die im 3. Jahrhundert unserer Zeitrechnung im süddeutschen Raum lebten. Die Schwaben haben mit der Zeit ihre ganz speziellen Eigenschaften und Vorlieben entwickelt, aber eine leichte Grenzüberschreitung ist vor allem im kulinarischen Bereich immer

wieder festzustellen. Dies ist vor dem Hintergrund der enormen Grenzverschiebungen in der Geschichte des Schwabenlandes durchaus verständlich. Ob Schinken oder Torte aus dem Schwarzwald, Baeckeofen aus dem Elsaß oder die Schnecken nach badischer Art, die Schwabenküche ist im Ursprung eine breitgefächerte und fein bestückte Küche.

Spätzle, Knöpfle und Maultaschen

»Schpätzleesser« werden sie liebevoll genannt – und jeder weiß, von wem die Rede ist. Was sind denn nun Spätzle?

Hier tut für den Nichtschwaben Aufklärung not, denn es gibt vieles auf dem Markt, was fälschlicherweise unter dem Namen Spätzle angeboten wird. Es handelt sich um feine Eierteigwaren, die aus Mehl, Salz, reichlich Eiern und etwas Wasser hergestellt werden. Die Herstellung ist eine Kunst, das Familienrezept ein Geheimnis, das nur mündlich von einer Generation zur nächsten überliefert wird. Vor Neid könnte erblassen, wer zum ersten Mal sehen darf, mit welcher Inbrunst der Teig geschlagen wird und mit welcher Geschicklichkeit der Spätzleteig vom Brett ins siedende Wasser geschabt wird. Je nach Konsistenz entstehen dabei lange Spätzle oder Knöpfle. Da die Schwaben nicht nur traditionsbewußt sind, sondern außerdem äußerst findig, haben sie Handwerkszeug entwickelt, mit dem auch Anfänger die begehrten Spätzle spielend leicht herstellen können. So gibt es einen Hobel für die langen Spätzle, einen für Knöpfle und eine Spätzlepresse, ebenfalls für lange Spätzle. Je nach Gericht wird der Spätzlegrundteig abgewandelt. Auf diese Weise sind die Leber-, die Spinat- oder Tomatenspätzle entstanden. In der neueren schwäbischen Küche findet man Spätzle mit Zusatz von Kräutern, Rote-Bete-Saft, gemahlenem Mohn oder gemahlenen Nüssen. Experimentieren Sie, es lohnt sich. Nudelteig kommt in Schwaben nur gefüllt in Form von Maultaschen oder Krautkrapfen auf den Tisch. Einigkeit herrscht

auch hier nicht, was die Frage des Inhalts anbelangt. So gibt es denn unzählige Rezeptvariationen für Maultaschenfüllungen, die alle für sich den Anspruch erheben, das Original zu sein. Verwiesen sei nur auf den Streit der Oberländer und der Unterländer, was die Frage des Spinats in der Füllung anbelangt. Auch hier gilt: Experimentieren ist erlaubt, wie die neuere Küche zeigt.
Obwohl die Schwaben weltoffen sind, sei davor gewarnt, Maultaschen mit Ravioli zu vergleichen. Dadurch könnten Mißverständnisse entstehen und Ihnen Ihre Schuhe vor die Türe gestellt werden – Kündigung der Gastfreundschaft!

A dicke Supp und was zum Veschpern

Auch bei den Schwaben geht die Liebe durch den Magen. Verständlich, denn wer fleißig an seinem neuen Häusle arbeitet, muß auch kräftig essen. So besteht ein ordentliches Essen aus drei Gängen: einer feinen Suppe, einem Hauptgang und einem Nachtisch. Wenn das aus Zeitmangel nicht möglich ist, greift der Schwabe auf seine geliebten Eintöpfe zurück. Da ist alles Gute auf einmal drin und kann dazu noch bequem nur mit dem Löffel gegessen werden. Zu den Lieblingsgerichten gehören Linsen, Spätzle und Saitenwürscht und

Ob von Hand geschabt oder gepreßt – Spätzle gehören einfach zum schwäbischen Essen.

der Gaisburger Marsch, der nach der Legende so entstanden sein soll: Die Gaisburger Männer mußten in den Krieg ziehen. Weil alle Welt weiß, daß man dies, wenn überhaupt, nur gut gestärkt tun sollte, kochten die Gaisburgerinnen ihren Ehemännern einen Eintopf, in dem alle kräftespendenden Zutaten versammelt waren: Fleisch, Spätzle und Kartoffeln in kräftiger Brühe. Die Verbreitung der Kartoffel in Deutschland ist Friedrich II. zu verdanken, der ihren Anbau per Dekret befohlen hatte. Daß die verpönte Kartoffel auch in Schwabens Töpfen Aufnahme fand, ist außerdem dem Umstand zuzuschreiben, daß dieses Gewächs billiger war als die Eier für die Herstellung der heißgeliebten Spätzle. So wurde aus der Not eine Tugend. Die Laugenbrezel, die sowohl zum Frühstück als auch zum Veschper eine große Rolle spielt, soll von einem Bäcker gebacken worden sein, der bei seinem Fürsten in Ungnade gefallen war. Ihm sollte verziehen werden, wenn er ein Gebäck herstellen könnte, durch das dreimal die Sonne scheint. So entstand die Laugenbrezel. Und damit sind wir schon bei der nächsten kulinarischen Besonderheit: dem Veschper. Geveschpert wird in Schwaben nach getaner Arbeit, es gibt deftige Gerichte wie Sauren Schwartenmagen oder Backstoikäs (Limburger), Wurstsalat oder Luckeleskäs. Dazu ein deftiges Bauernbrot, ein Knautzaweckle, Seela oder eben Brezeln.

Unter einem schattigen Baum läßt es sich gut genießen!

Besenwirtschaften und Weinfeste

Zu seinem Veschper und auch sonst trinkt der Schwabe gern ein gutes Viertele, ein Glas Wein. Denn Wein wird im Ländle mehr produziert als Bier. In den Weingegenden gibt es zahlreiche Weinfeste, die meist im September und Oktober stattfinden. Dort wird Wein aus kleinen 0,1l-Gläsern angeboten, wobei es allerdings meistens nicht bleibt. Damit der Weingenuß nicht zu schnell zu Kopfe steigt, gibt es Stände, an denen man sich mit Krautspätzle, Zwiebelkuchen, Dinnete, Schinken- und Käseseelen oder Butterbrezeln stärken kann. Wer bei seiner Reise durch Schwaben nicht in den Genuß eines Weinfestes kommt, kann die Augen nach einer Straußen- oder Besenwirtschaft offen halten. Erkennungszeichen ist ein Reisigbesen oder -büschel, das aufgesteckt wird, wenn die Wirtschaft offen hat. Das kann bis zu drei Monaten im Jahr (meist im Hochsommer) sein. Denn nur so lange dürfen die Weinerzeuger ohne Konzession ihren »alten« Wein verkaufen, um für den neuen im Keller Platz zu schaffen.

Alles in allem zeigt dieser kleine Streifzug, daß die Schwaben alles andere sind als fanatisch sparsame Häuslebauer. In erster Linie sind sie lebenslustige Genießer.

Schwäbische Küchenausdrücke

Bärentätzle	Weihnachtsgebäck, das in speziellen Holzmodeln geformt wird
Buabaspitzla	Kartoffelnudeln
Dampfnudla	Hefeklöße, die meist süß zubereitet werden; dazu gibt es Kompott, Vanille- oder Karamelsauce
Eingmachts Kalbfleisch	gesottenes Kalbfleisch in einer hellen Sauce
Filettöpfle	verschiedene Filetstücke in einem Topf mit Spätzle und Pilzsauce serviert
Flädle	hauchdünn gebackene Pfannkuchen, als Suppen-einlage oder gefüllt
Gaisburger Marsch	Eintopfgericht
Grießschnitta, bachene Schnitta	ausgebackene Schnitten aus Grießmasse, süß oder pikant
Guatsla	Plätzchen, süße Nascherei
Holler	Holunder
Hutzeln	getrocknete Birnen
Hutzlbrot	eigentlich Birnenbrot; es sind aber auch andere getrocknete Früchte mit drin
Kalbsvögele	gefüllte Kalbsrouladen
Kässpätzle	Spätzle, die lagenweise mit Käse in eine Form geschichtet und mit viel gerösteten Zwiebeln abgeschmelzt werden
Katzagschroi	Rindfleischsalat oder Rindfleisch und Kartoffeln mit Ei überbacken
Knöpfle	das können Teigwaren aus Hefeteig oder Spätzle sein, sie werden nach der runden Form so genannt
Kratzete	dicker Pfannkuchen, der, wie Kaiserschmarrn, in der Pfanne in Stücke gerissen wird
Krautkrapfa	mit Sauerkraut und Speck gefüllte Nudelteigrollen
Kretzer	Bodenseebarsch
Luckeleskäs	gewürzter Kräuterquark
Maultascha	gefüllte Nudelteigtaschen; sie werden in der Brühe, abgeschmelzt oder mit Ei überbacken serviert
Mistkratzerle	Hähnchen
Nonnenfürzle	luftiges Brandteiggebäck
Ochsamaulsalat	Salat aus gekochter Rinderzunge
Ofaschlupfer	süßer Auflauf aus Äpfeln und Brot
Pfitzauf	lockeres Gebäck, das mit Kompott gegessen wird
Saitenwürste	Wiener Würste
Saure Linsen	braune Linsen in einer würzigen, dunklen Sauce
Saure Rädle	Kartoffelscheiben in einer sauren Sauce
Spätzle	schwäbische Eierteigwaren
Spitzbuba	mit Marmelade gefülltes Mürbteiggebäck
Springerle	weißes Weihnachtsgebäck, das in kunstvollen Holzmodeln geformt wird
Zwiebelroschtbrota	gebratene Rinderlendenschnitte mit reichlich gerösteten Zwiebeln; dazu ißt man häufig Kraut- oder Kässpätzle

Luckeleskäs

Zutaten für 4 Personen:

400 g Quark (40% i.Tr.)

200 g saure Sahne

1 große Zwiebel

2 Bund Schnittlauch

Salz

weißer Pfeffer, frisch gemahlen

4 Salatblätter

½ Teel. Paprikapulver, edelsüß

Gelingt leicht
Schnell

Pro Portion etwa:
950 kJ/230 kcal
13 g Eiweiß · 17 g Fett
6 g Kohlenhydrate

• Zubereitungszeit: etwa
  20 Minuten

1. Den Quark mit der sauren Sahne verrühren. Die Zwiebel schälen und fein hacken. Den Schnittlauch waschen, trockenschütteln und in feine Röllchen schneiden. Die Zwiebel und den Schnittlauch unter den Quark rühren und alles mit Salz und Pfeffer kräftig würzen.

2. Die Salatblätter waschen, trockenschütteln und auf eine Platte oder einen Teller legen. Den angemachten Quark möglichst dekorativ darauf anrichten und mit dem Paprikapulver bestäuben.

Variante:
Sie können den Quark auch mit Joghurt und sehr fein gehackten Frühlingszwiebeln verrühren. Den Quark anrichten und mit frisch gehackten Kräutern bestreuen.

Ochsamaul-salat

Zutaten für 4 Personen:

1 gepökelte Ochsenzunge

(beim Metzger vorbestellen)

1 Zwiebel

1 Lorbeerblatt

1 Gewürznelke

4–5 schwarze Pfefferkörner

Für die Vinaigrette:

1 Zwiebel

2 Essiggurken

5 EßI. Sonnenblumenöl

4 EßI. Essig

Salz

Pfeffer, frisch gemahlen

1 Prise Zucker

1 Bund Schnittlauch

Braucht etwas Zeit

Pro Portion etwa:
2700 kJ/640 kcal
41 g Eiweiß · 52 g Fett
5 g Kohlenhydrate

• Zubereitungszeit: etwa
  3 ½ Stunden (davon
  2 ½ Stunden Kochzeit und
  30 Minuten Kühlzeit)

1. Die Ochsenzunge unter fließendem Wasser gründlich abwaschen. In einen großen Topf legen und mit etwa 3 l kaltem Wasser aufgießen.

2. Die Zwiebel schälen und halbieren. Je eine Hälfte mit dem Lorbeerblatt und der Gewürznelke spicken. Zusammen mit den Pfefferkörnern zur Ochsenzunge geben. Alles aufkochen und das Zungenfleisch bei schwacher Hitze in etwa 2 ½ Stunden garziehen lassen.

Während der Kochzeit den entstehenden Schaum immer wieder abschöpfen.

3. Die Ochsenzunge herausnehmen, mit kaltem Wasser abbrausen und mit einem scharfen Messer die Haut abziehen. Die Zunge quer in sehr dünne Scheiben schneiden und in eine Schüssel geben.

4. Für die Vinaigrette die Zwiebel schälen und fein hacken. Die Essiggurken der Länge nach halbieren und in streichholzdünne Stifte schneiden. Beides zur Zunge geben.

5. Das Öl, den Essig und 3–4 Eßlöffel Kochsud verrühren, mit Salz, Pfeffer und Zucker würzen. Die Sauce über die Zunge gießen und alles gründlich vermengen. Den Ochsenmaulsalat zugedeckt im Kühlschrank etwa 30 Minuten ziehen lassen.

6. Kurz vor dem Servieren den Schnittlauch waschen, trockenschütteln und in feine Röllchen schneiden. Den Salat damit bestreuen.

Variante:
Verwenden Sie statt der Zunge etwa 500 g Ochsenmaul, das Sie beim Metzger fertig gekocht und hauchdünn aufgeschnitten kaufen können. Mit Essig, Öl, Zwiebeln, Pfeffer und Salz anmachen.

Im Bild vorne: Luckeleskäs
Im Bild hinten: Ochsamaulsalat

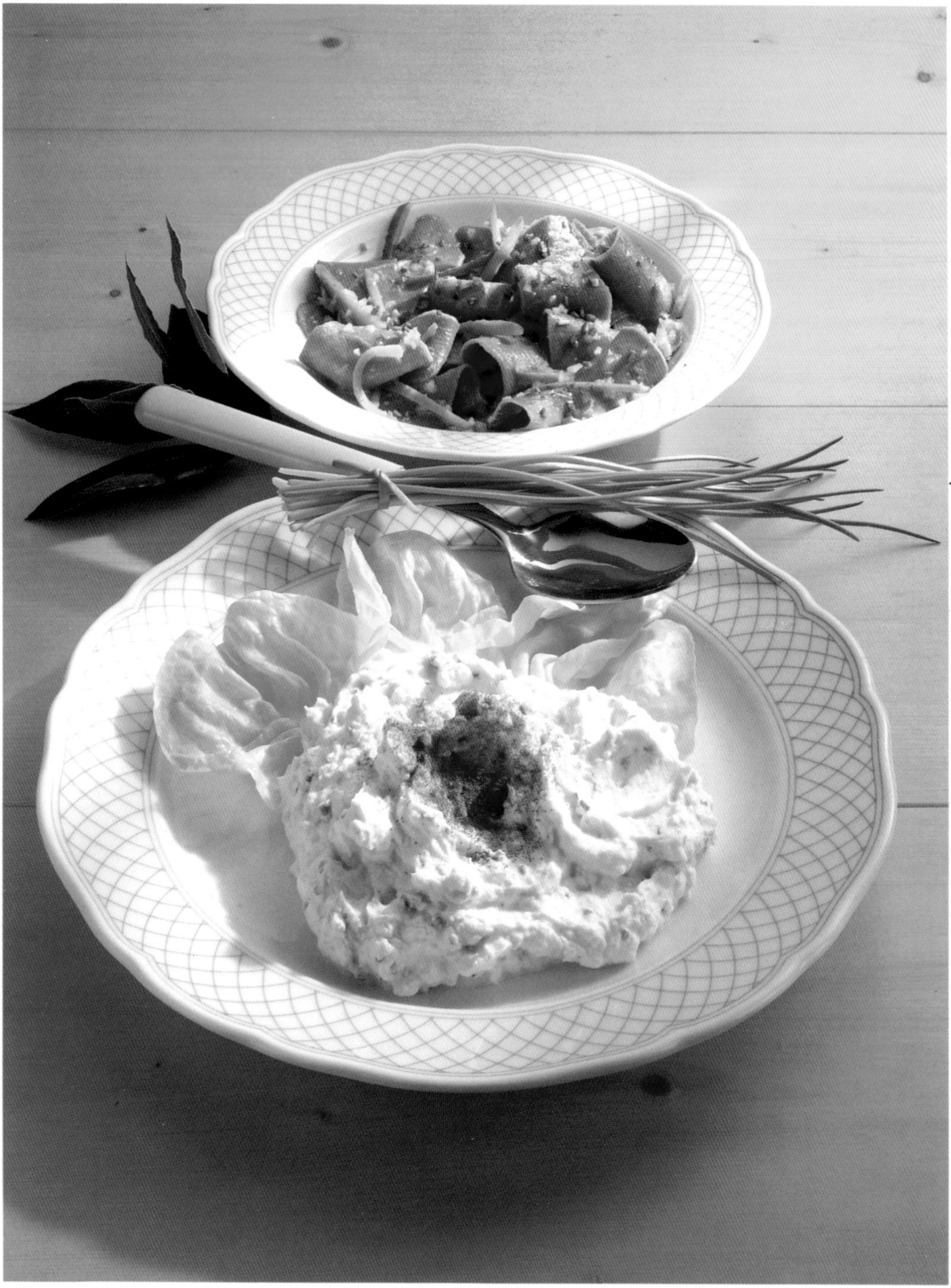

Katzagschroi

Hinter dem spektakulären Namen verbirgt sich ein Gericht, in dem die sparsamen Schwaben die Reste der Sonntagsmahlzeit verwerten.

Zutaten für 4 Personen:
500 g gekochtes Rindfleisch
2 große Zwiebeln
1 Apfel
je 1 gelbe und grüne Paprikaschote
1 Bund Schnittlauch
Für die Vinaigrette:
5 EßI. Öl
3 EßI. Essig
Saft von ½ Zitrone
Salz
schwarzer Pfeffer, frisch gemahlen
1 Prise Zucker, nach Geschmack

Preiswert

Pro Portion etwa:
1400 kJ/330 kcal
28 g Eiweiß · 22 g Fett
9 g Kohlenhydrate

* Zubereitungszeit: etwa
  1 ¼ Stunden (davon
  30 Minuten Kühlzeit)

1. Das Fleisch in schmale Streifen schneiden. Die Zwiebeln schälen und in dünne Ringe schneiden. Den Apfel schälen, vom Kerngehäuse befreien, in Stifte schneiden und mit Zitronensaft beträufeln.

2. Die Paprikaschoten kalt abbrausen, halbieren, die Kerne und die weißen Trennhäute entfernen. Die Hälften in feine Streifen schneiden. Den Schnittlauch waschen, trocken-

schütteln und in Röllchen schneiden. In einer großen Schüssel alles miteinander vermengen.

3. Das Öl mit dem Essig und dem Zitronensaft verrühren. Die Sauce mit Salz, Pfeffer und Zucker würzen. Über den Salat gießen und alles gründlich durchmischen. Den Salat zugedeckt im Kühlschrank etwa 30 Minuten ziehen lassen.

Variante:
Katzagschroi warm
Die Fleischreste kleinschneiden und mit 1 feingehackten Zwiebel in etwas Butter anbraten. In Scheiben geschnittene gekochte Kartoffeln dazugeben und kurz mitbraten lassen. 3–4 Eier mit etwas Milch verquirlen, mit Salz und Pfeffer kräftig würzen und über das Fleisch gießen. Bei schwacher Hitze stocken lassen.

Pfifferlings-küchle

Zutaten für etwa 12 Stück:
300 g frische Pfifferlinge
1 Zwiebel
½ Bund Petersilie
100 g Butter
300 g Knödelbrot
⅛ l heiße Milch
2 Eier · 1 Teel. Mehl
Salz
Muskatnuß, frisch gerieben

Für Gäste

Pro Stück etwa:
650 kJ/150 kcal
4 g Eiweiß · 10 g Fett
14 g Kohlenhydrate

* Zubereitungszeit: etwa
  1 Stunde

1. Die Pfifferlinge verlesen, kurz unter fließendem Wasser abbrausen und abtropfen lassen. In Scheiben, dann in Streifen schneiden. Die Zwiebel schälen und fein hacken. Die Petersilie waschen, trockenschütteln und fein hacken.

2. In einer Pfanne 40 g Butter erhitzen. Die Zwiebelwürfel und die Pilzstreifen darin bei schwacher Hitze so lange dünsten, bis die Flüssigkeit verdunstet ist. Die Petersilie hinzufügen und die Pfanne vom Herd nehmen.

3. Das Knödelbrot mit der heißen Milch begießen und zugedeckt kurz ruhen lassen.

4. Den Pfanneninhalt über das eingeweichte Knödelbrot geben. Die Eier, das Mehl, Salz und Muskatnuß dazugeben und alles gründlich vermengen. Aus dem Teig mit feuchten Händen Taler formen.

5. Die restliche Butter in einer großen Pfanne erhitzen. Die Pfifferlingsküchle darin auf beiden Seiten bei mittlerer Hitze knusprig und goldbraun braten.

Im Bild vorne: Katzagschroi
Im Bild hinten: Pfifferlingsküchle

Saure Rädle

Zutaten für 4 Personen:
1 kg mehligkochende Kartoffeln
$^1/_2$ l Fleischbrühe
1 mittelgroße Zwiebel
1 Lorbeerblatt
2 Gewürznelken
einige Wacholderbeeren
2 Eßl. Obstessig
Salz
weißer Pfeffer, frisch gemahlen
3 Eßl. Crème fraîche
8 Saitenwürste

Preiswert

Pro Portion etwa:
1700 kJ/400 kcal
17 g Eiweiß · 23 g Fett
32 g Kohlenhydrate

- Zubereitungszeit: etwa
  1 Stunde

1. Die Kartoffeln waschen, schälen und in nicht zu dünne Scheiben schneiden. Die Fleischbrühe aufkochen. Die Zwiebel schälen und halbieren. Je eine Hälfte mit dem Lorbeerblatt und den Gewürznelken spicken. Zusammen mit den Kartoffeln und den Wacholderbeeren in die Brühe geben und etwa 15 Minuten bei schwacher Hitze köcheln lassen.

2. Die Kartoffelrädle mit dem Obstessig, Salz und Pfeffer würzen und mit der Crème fraîche verfeinern.

3. Wasser in einem Topf erhitzen, die Saitenwürste darin erwärmen, aber nicht kochen lassen.

Flädlesupp

Zutaten für 4 Personen:
1 $^1/_2$ l Fleischbrühe
400 g Rindfleisch (Brust)
1 Bund gemischte Kräuter
(Kerbel, Schnittlauch, Petersilie)
100 g Mehl
2 Eier
3 Eßl. flüssige Butter
$^1/_8$ l Milch
Salz
Zum Ausbacken: Butter

Gelingt leicht

Pro Portion etwa:
1900 kJ/450 kcal
31 g Eiweiß · 27 g Fett
23 g Kohlenhydrate

- Zubereitungszeit: etwa
  2 $^1/_2$ Stunden (davon
  1 $^1/_2$ Stunden Kochzeit)

1. Die Fleischbrühe aufkochen. Das Rindfleisch darin bei schwacher Hitze in etwa 1 Stunde garziehen lassen.

2. In der Zwischenzeit für die Flädle die Kräuter waschen, trockenschütteln und fein hacken. Das Mehl in eine Schüssel sieben. Mit den Schneebesen des Handrührgerätes die Eier, die Butter und die Milch nach und nach unterrühren. Zuletzt die gehackten Kräuter unterheben. Den Pfannkuchenteig mit Salz würzen.

3. In einer Pfanne etwas Butter erhitzen und darin nacheinander dünne Pfannkuchen backen, bis der Teig ver-

braucht ist, dabei immer wieder etwas Butter in die Pfanne geben. Die Pfannkuchen kurz abkühlen lassen, aufrollen und in möglichst dünne Streifen, »Flädle«, schneiden.

4. Das Fleisch aus der Brühe nehmen und kurz abkühlen lassen. Die Suppe eventuell nochmals leicht nachsalzen. Das Rindfleisch in kleine Würfel oder Streifen schneiden und zusammen mit den Kräuterflädle in eine große vorgewärmte Suppenschüssel geben. Die heiße Brühe angießen und die Suppe sofort servieren.

Grundrezept:
Fleischbrühe
Etwa 1 $^1/_2$ l Wasser mit 3–4 Markknochen, 2 Bund Suppengrün, 5 Pfefferkörnern und 1 Lorbeerblatt aufkochen. Etwa 750 g Rindfleisch (Brust) ins kochende Wasser geben und bei schwacher Hitze in etwa 1 $^1/_2$ Stunden garziehen lassen. Die Brühe abgießen und erkalten lassen. Das Fett abschöpfen. Das Fleisch entweder in Würfel schneiden und wieder in die Brühe geben oder in Scheiben geschnitten mit Meerrettichkartoffeln oder sauren Rädle als Hauptmahlzeit servieren.

Bild oben: Saure Rädle
Bild unten: Flädlesupp

Leberspätzle-suppe

Zutaten für 4 Personen:
1 kleine Zwiebel
50 g weiche Butter
80 g Paniermehl
150 g Kalbs- oder Rinderleber
(vom Metzger durch den Fleischwolf
drehen lassen)
1 Ei
Salz
½ Teel. Majoran
½ Bund Schnittlauch
1 ¼ l Rinderbrühe

Gelingt leicht
Für Gäste

Pro Portion etwa:
1100 kJ/260 kcal
13 g Eiweiß · 15 g Fett
18 g Kohlenhydrate

● Zubereitungszeit: etwa
40 Minuten (davon 20 Minuten Kühlzeit)

1. Die Zwiebel schälen und
reiben. In einer Schüssel die
Butter schaumig rühren. Nach
und nach das Paniermehl, die
Leber, die Zwiebel und das Ei
einrühren. Mit Salz und Majoran würzen. Den Teig etwa
20 Minuten kalt stellen.

2. Reichlich Salzwasser in
einem großen Topf aufkochen.
Sobald das Wasser kocht,
einen Spätzlehobel auf den
Topf setzen. Den Spätzleteig
hineinfüllen und in das siedende Wasser schaben. Die Hitze
reduzieren und die Leberspätz-
le in etwa 10 Minuten garziehen lassen. In ein Sieb abgießen und kurz unter kaltem
Wasser abschrecken.

3. Den Schnittlauch waschen,
trockenschütteln und kleinschneiden. Die Rinderbrühe
erhitzen. Die fertigen Leber-
spätzle in vorgewärmte Suppentassen verteilen und mit der
heißen Brühe auffüllen. Mit
Schnittlauchröllchen garnieren.

Allgäuer Kässupp

Zutaten für 4 Personen:
1 große Zwiebel
2 Knoblauchzehen
4 Eßl. Butter · 3 Eßl. Mehl
1 l kräftige Fleischbrühe
200 g Sahne · Salz
weißer Pfeffer, frisch gemahlen
Muskatnuß, frisch gerieben
50 g Schmelzkäse
100 g geriebener Emmentaler
Für die Einlage:
½ Bund Petersilie
4 Scheiben Weißbrot
4 Eßl. helles Bier · 60 g Butter

Gelingt leicht

Pro Portion etwa:
2600 kJ/620 kcal
16 g Eiweiß · 50 g Fett
29 g Kohlenhydrate

● Zubereitungszeit: etwa
40 Minuten

1. Die Zwiebel und die Knoblauchzehen schälen und fein
hacken. Die Butter erhitzen.
Die Zwiebel und den Knob-
lauch darin bei schwacher
Hitze glasig dünsten. Das Mehl
dazusieben und kurz anschwitzen, aber keine Farbe nehmen
lassen. Die Fleischbrühe unter
Rühren mit einem Schneebesen
angießen. Die Suppe 5–10
Minuten kochen lassen.

2. Die Suppe durch ein Sieb
in einen anderen Topf gießen.
Erneut aufkochen, die Hitze
reduzieren und die Sahne
unterrühren. Mit Salz, Pfeffer
und Muskatnuß pikant würzen.
Den Käse einrühren, und die
Suppe nochmals aufkochen lassen. Dann die Hitze reduzieren
und die Suppe ziehen lassen.

3. Die Petersilie waschen,
trockenschütteln und fein
hacken. Aus den Weißbrot-
scheiben runde Taler ausstechen, mit dem Bier beträufeln.
In einer Pfanne 40 g Butter
erhitzen und die Brotscheiben
darin von beiden Seiten goldbraun rösten.

4. Die Brotscheiben in vorgewärmte Suppentassen legen.
Die restliche Butter in der Pfanne schmelzen. Die Petersilie
kurz darin schwenken und auf
den Brotscheiben verteilen. Mit
der heißen Käsesuppe auffüllen.

Im Bild vorne: Leberspätzlesupp
Im Bild hinten: Allgäuer Kässupp

Gaisburger Marsch

Zutaten für 4–6 Personen:
800 g Rindfleisch (Brust oder Bug)
2–3 Suppenknochen
Salz · 3 mittelgroße Zwiebeln
1 Nelke · 1 Lorbeerblatt
1 Bund Suppengrün
500 g Kartoffeln
1 Bund Schnittlauch · 50 g Butter
300 g Spätzle

Spezialität aus Gaisburg

Bei 6 Personen pro Portion etwa:
3200 kJ/760 kcal
55 g Eiweiß · 27 g Fett
75 g Kohlenhydrate

- Zubereitungszeit: etwa
  2 Stunden (davon 1 ½ Stunden Kochzeit)

1. Das Fleisch und die Knochen kalt abwaschen und in einen großen Topf legen. Etwa 1 ½ l kaltes Wasser angießen, mit Salz würzen. Eine Zwiebel schälen und halbieren. Mit der Nelke und dem Lorbeerblatt spicken. Das Suppengrün waschen, putzen, grob zerkleinern und mit der Zwiebel zum Fleisch geben. Alles aufkochen.

2. Die Hitze reduzieren und das Fleisch zugedeckt bei schwacher Hitze etwa 1 ½ Stunden garen. Etwa 30 Minuten vor Ende der Garzeit die Kartoffeln waschen, schälen, in Viertel schneiden und in eine Schüssel mit kaltem Wasser legen.

3. Den Schnittlauch waschen, trockenschütteln und in Röllchen

schneiden. Das Fleisch aus der Brühe nehmen, in Alufolie wickeln und warm stellen. Die Brühe durch ein Sieb in einen anderen Topf gießen. Die Kartoffeln darin in etwa 20 Minuten garen.

4. Die restlichen Zwiebeln schälen und in Ringe schneiden. In einer Pfanne die Butter erhitzen und die Zwiebeln darin goldbraun rösten. Das Rindfleisch in Würfel schneiden. Mit den Spätzle zu den Kartoffeln geben und alles kurz erwärmen. Die Suppe mit den Zwiebeln »abschmelzen«.

Saure Linsen

Zutaten für 4–6 Personen:
500 g braune Linsen
1 Bund Suppengrün · Salz
2 Teel. gekörnte Brühe
1 Lorbeerblatt
1 dicke Scheibe durchwachsener
Bauchspeck · 1 Zwiebel
40 g Butter · 20 g Mehl
¼ l Rotwein
2–3 Eßl. Rotweinessig
Pfeffer, frisch gemahlen
4–6 Paar Saitenwürste

Preiswert

Bei 6 Personen pro Portion etwa:
3100 kJ/740 kcal
34 g Eiweiß · 43 g Fett
46 g Kohlenhydrate

- Zubereitungszeit: etwa
  1 Stunde
- Einweichzeit: mindestens
  8 Stunden, am besten über
  Nacht

1. Die Linsen mit kaltem Wasser abrausen, in eine Schüssel geben und mit reichlich Wasser bedecken. Die Linsen etwa 8 Stunden, am besten über Nacht, einweichen lassen.

2. Die eingeweichten Linsen in ein Sieb abgießen und abtropfen lassen. Etwa 1 ½ l Wasser mit den Linsen in einen Topf geben und aufkochen.

3. Das Suppengrün waschen, putzen und klein würfeln. Zu den Linsen geben und alles mit Salz und der gekörnten Brühe würzen. Das Lorbeerblatt und den Bauchspeck zu den Linsen geben. Alles bei schwacher Hitze etwa 1 Stunde kochen lassen, bis die Linsen weich sind.

4. Die Zwiebel schälen und fein hacken. In einem separaten Topf die Butter erhitzen. Die Zwiebel darin bei schwacher Hitze andünsten. Unter Rühren mit dem Mehl bestäuben und goldbraun anschwitzen.

5. Nach und nach unter Rühren den Rotwein und den Essig angießen. Die Linsen mit dem Kochwasser dazugeben. Alles etwa 20 Minuten bei mittlerer Hitze kochen lassen. Mit Salz und Pfeffer würzen.

6. Die Saitenwürste auf das Linsengemüse legen und etwa 10 Minuten erwärmen. Dazu passen Spätzle.

Im Bild vorne: Gaisburger Marsch
Im Bild hinten: Saure Linsen

Nasser Kartoffelsalat

Zutaten für 4 Personen:

Salz

1 kg festkochende Kartoffeln

1 große Zwiebel

1 Bund Petersilie

¼ l sehr kräftige Fleischbrühe

5 EBl. Öl

3 EBl. Essig

weißer Pfeffer, frisch gemahlen

Gelingt leicht
Braucht etwas Zeit

Pro Portion etwa:
1100 kJ/260 kcal
5 g Eiweiß · 13 g Fett
33 g Kohlenhydrate

• Zubereitungszeit: etwa
  2 Stunden (davon 1 Stunde
  Ruhezeit)

Tip!

Sie können die Kartoffeln
schon am Vortag kochen.
Dann lassen sie sich besser
schneiden oder hobeln.

1. Salzwasser in einem Topf
erhitzen. Die Kartoffeln
waschen und in dem kochen-
den Wasser in etwa 30 Minuten garen. Prüfen Sie mit einer
Gabel, ob die Kartoffeln durch
sind.

2. Die Kartoffeln abgießen,
etwas abkühlen lassen und
schälen. Die lauwarmen Kartoffeln in gleichmäßig dünne
Scheibchen schneiden oder
hobeln und in eine Schüssel
geben.

3. Die Zwiebel schälen und
fein hacken. Die Petersilie
waschen, trockenschütteln und
ohne die groben Stiele fein
hacken. Beides zu den Kartoffeln geben. Die Fleischbrühe
erhitzen. Die Kartoffeln mit so
viel Brühe begießen, daß sie
gut feucht sind, und alles zugedeckt mindestens 1 Stunde ziehen lassen.

4. Das Öl und den Essig zu
den Kartoffeln geben, alles vorsichtig durchmischen. Den
Salat mit Salz und Pfeffer
pikant würzen.

Gfüllte Fleischflädle

Flädle sind dünne Pfannkuchen, die ganz nach Geschmack süß oder pikant gefüllt werden.

Zutaten für 4 Personen:

250 g Mehl
Salz
4 Eier
½ l Milch
100 g Butterschmalz
3 große Zwiebeln
1 Bund Petersilie
4 Eßl. Butter
400 g Bratwurstbrät
200 g Sahne
Für die Form: Butter

Braucht etwas Zeit Für Gäste

Pro Portion etwa:
4700 kJ/1100 kcal
30 g Eiweiß · 85 g Fett
58 g Kohlenhydrate

- Zubereitungszeit: etwa 1 ½ Stunden

Tip!

Das Bratwurstbrät kann durch Hackfleisch ersetzt werden. Dazu schmeckt Kartoffelsalat.

1. Das Mehl, Salz und die Eier mit einem Schneebesen verrühren. Nach und nach die Milch dazugeben. In einer Pfanne etwas Butterschmalz erhitzen. Aus dem Teig nacheinander 8 Pfannkuchen backen. Dabei immer wieder etwas Butterschmalz in die Pfanne geben.

2. Den Backofen auf 200° vorheizen. Eine Auflaufform mit Butter auspinseln. 1 Zwiebel schälen und fein hacken. Die Petersilie waschen, trockenschütteln und ohne die groben Stiele fein hacken. 1 Eßlöffel Butter in einer Pfanne erhitzen. Die Zwiebelwürfel und die Petersilie darin bei schwacher Hitze dünsten.

3. Das Bratwurstbrät mit der Zwiebel und der Petersilie mischen. Die Flädle mit der Masse bestreichen, aufrollen und nebeneinander in die Auflaufform legen. Mit der Sahne begießen und im Backofen (Mitte) in etwa 30 Minuten goldbraun überbacken.

4. Die restlichen Zwiebeln schälen und in feine Ringe schneiden. Die restliche Butter erhitzen und die Zwiebeln darin bei mittlerer Hitze goldgelb braten. Die Fleischflädle aus dem Backofen nehmen, mit den Zwiebelringen belegen und servieren.

Grießschnitta

Zutaten für etwa 24 Stück
(ausreichend für 6 Personen):
1/2 l Milch · 100 g Butter
Salz · 150 g Grieß · 2 Eigelb
50 g Emmentaler, frisch gerieben
Für das Backblech: Butter, Alufolie

Gelingt leicht

Pro Portion etwa:
1300 kJ/310 kcal
9 g Eiweiß ·22 g Fett
22 g Kohlenhydrate

- Zubereitungszeit: etwa
  45 Minuten

1. Die Milch mit 60 g Butter
und 1 Prise Salz aufkochen.
Den Grieß einrühren und bei
schwacher Hitze quellen lassen, bis ein fester Brei entstanden ist. Den Topf vom Herd
ziehen und die Eigelbe und
den Käse unterrühren.

2. Ein halbes Backblech mit
Butter ausstreichen. Den
Grießbrei etwa 1 cm dick darauf streichen und etwa 15 Minuten abkühlen lassen. Den
Backofen in der Zwischenzeit
auf 250° vorheizen.

3. Die Grießmasse mit einem
scharfen Messer in Quadrate
schneiden. Oder aus der
Masse Taler ausstechen. Ein
zweites Backblech mit Alufolie
auskleiden und die Grießschnitten darauf verteilen. Die restliche Butter in Flöckchen schneiden. Die Schnitten damit belegen und im Backofen (Mitte)
etwa 10 Minuten backen.

Tip!

Die Grießschnitten schmek-
ken auch süß. Dann den
Käse durch 1–2 Eßlöffel
Zucker ersetzen und die ferti-
gen Schnitten mit Zimt und
Zucker bestreuen.

Zwiebelkucha

Zutaten für etwa 20 Stück
(ausreichend für 6 Personen):
Für den Teig:
250 g Mehl
1/2 Würfel Hefe (20 g)
1 Prise Zucker · 1/8 l Milch
1 Ei · 50 g weiche Butter
Salz
Für den Belag:
1 kg Zwiebeln · 5 Eßl. Öl
50 g geräucherter Speck
200 g saure Sahne · Kümmel
Paprikapulver, edelsüß und rosen-
scharf
Pfeffer, frisch gemahlen
Für das Backblech: Fett

Braucht etwas Zeit

Pro Stück etwa:
935 kJ/230 kcal
5 g Eiweiß · 15 g Fett
21 g Kohlenhydrate

- Zubereitungszeit: etwa
  3 Stunden (davon 1 1/2 Stunden Ruhezeit und 45 Minuten
  Backzeit)

1. Für den Teig das Mehl in
eine Schüssel sieben und in die
Mitte eine Mulde drücken. Die
Hefe hineinbröckeln und mit
Zucker bestreuen. Die Milch

erwärmen und über die Hefe
gießen, mit etwas Mehl zu
einem Vorteig verrühren. Die
Schüssel mit einem Küchentuch
abdecken. Den Teig etwa
30 Minuten an einem warmen
Ort gehen lassen.

2. Dann das Ei, die Butter und
Salz dazugeben. Alles zu
einem geschmeidigen Teig verkneten. Zur Kugel formen und
zugedeckt etwa 30 Minuten
gehen lassen.

3. In der Zwischenzeit die
Zwiebeln schälen und in
hauchdünne Ringe schneiden.
In einer großen Pfanne das Öl
erhitzen und die Zwiebelringe
darin bei schwacher Hitze in
etwa 10 Minuten glasig dünsten. Den Speck klein würfeln.
Zu den Zwiebeln geben und
etwa 2 Minuten mitbraten. Von
der Kochstelle nehmen und die
saure Sahne untermischen. Mit
Kümmel, Paprikapulver und
Pfeffer pikant würzen.

4. Ein Backblech einfetten.
Den Teig auf bemehlter Arbeitsfläche in Backblechgröße ausrollen. Auf das Blech legen und
leicht andrücken. Mit einer
Gabel mehrmals einstechen
und nochmals etwa 30 Minuten gehen lassen. Den Backofen auf 200° vorheizen.

5. Die Zwiebelmasse auf dem
Teigboden verteilen. Den
Kuchen im Backofen (Mitte)
etwa 45 Minuten backen.

Bild oben: Grießschnitta
Bild unten: Zwiebelkucha

Hefeknöpfle auf Filderkraut

Zutaten für 4 Personen:

Für den Teig:

250 g Mehl

1/2 Würfel Hefe (20 g)

1 Prise Zucker

1/8 l lauwarme Milch

1 Ei

50 g flüssige Butter

Salz

Für das Sauerkraut:

100 g durchwachsener geräucherter Speck

2 Zwiebeln

2 säuerliche Äpfel

50 g Butterschmalz

800 g Sauerkraut

200 ml trockener Weißwein

4–5 Wacholderbeeren

1 Lorbeerblatt

4–5 Pfefferkörner

1 Teel. Kümmel

Salz

Braucht etwas Zeit

Pro Portion etwa:
3500 kJ/830 kcal
16 g Eiweiß · 54 g Fett
65 g Kohlenhydrate

• Zubereitungszeit: etwa
2 1/2 Stunden (davon
1 1/2 Stunden Ruhezeit)

1. Das Mehl in eine Schüssel sieben und eine Mulde hineindrücken. Die Hefe hineinbröckeln, mit dem Zucker bestreuen und mit der Milch begießen. Mit etwas Mehl zu einem Vorteig verrühren. Die Schüssel mit einem sauberen Küchentuch zudecken und den Teig etwa 20 Minuten an einem warmen Ort gehen lassen.

2. Das Ei, die Butter und 1 Prise Salz dazugeben und alles zu einem glatten Teig verkneten. Den Teig zugedeckt etwa 30 Minuten ruhen lassen.

3. Für das Sauerkraut den Speck fein würfeln. Die Zwiebeln schälen und in dünne Ringe schneiden. Die Äpfel waschen, schälen, achteln, von den Kerngehäusen befreien und in feine Scheiben schneiden. Das Butterschmalz in einem großen Topf erhitzen. Den Speck, die Zwiebeln und die Äpfel darin einige Minuten bei schwacher Hitze andünsten.

4. Das Sauerkraut grob zerpflücken, hinzufügen und kurz mitdünsten lassen. Den Weißwein angießen. Die Wacholderbeeren, das Lorbeerblatt, die Pfefferkörner und den Kümmel dazugeben und alles kräftig durchrühren. Mit Salz würzen. Das Sauerkraut zugedeckt etwa 1 Stunde bei schwacher Hitze schmoren lassen.

5. In der Zwischenzeit den Hefeteig auf einer bemehlten Arbeitsfläche nochmals durchkneten. Mit einem Teelöffel etwa 24 Klößchen abstechen. Auf ein bemehltes Brett legen und zugedeckt etwa 30 Minuten ruhen lassen.

6. Salzwasser in einem breiten Topf zum Kochen bringen. Die »Knöpfle« darin in etwa 15 Minuten bei schwacher Hitze garziehen lassen.

7. Das Sauerkraut nach Geschmack mit Kümmel und Salz nachwürzen und auf vorgewärmte Teller verteilen. Die Hefeknöpfle darauf anrichten.

Tip!

Besonders gut schmeckt dieses Gericht mit mildem Sauerkraut, das Sie beim Metzger oder auch im Reformhaus offen kaufen können.

Die lockeren Hefeteigklößchen harmonieren besonders gut mit dem säuerlichen, fein gewürzten Kraut.

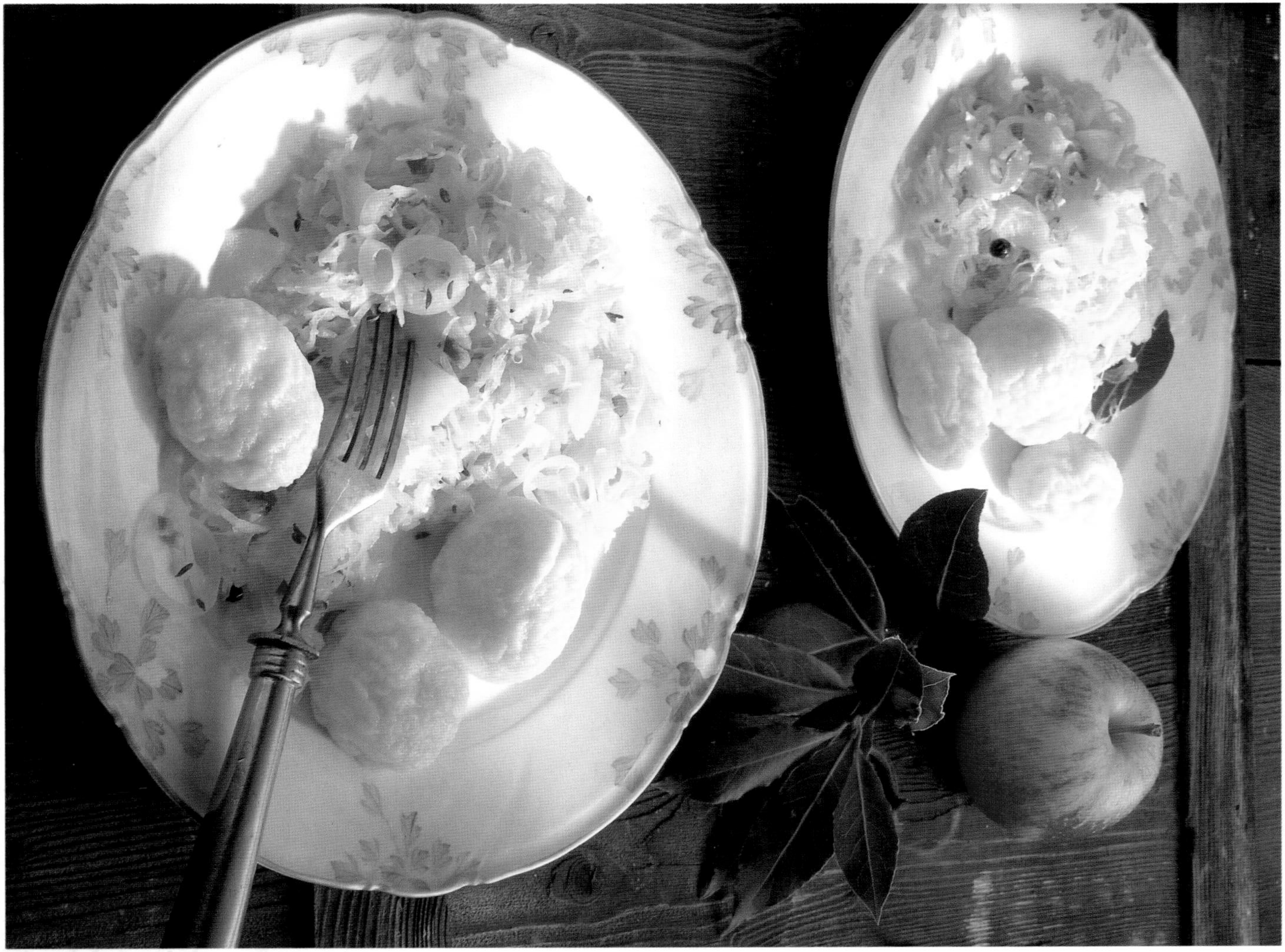

Kässpätzle

Zutaten für 4 Personen:

500 g Mehl · 5 Eier

etwa ¼ l Mineralwasser

Salz

2 große Zwiebeln

300 g Käse (beispielsweise Emmentaler oder Bergkäse), frisch gerieben

weißer Pfeffer, frisch gemahlen

50 g Butter

Preiswert

Pro Portion etwa:
3900 kJ/930 kcal
44 g Eiweiß · 42 g Fett
95 g Kohlenhydrate

• Zubereitungszeit: etwa
  40 Minuten

1. Das Mehl in eine Schüssel sieben. Nach und nach die Eier und das Mineralwasser unterrühren. Nur so viel Wasser zugeben, daß der Teig zähflüssig ist. Den Teig mit 1 kräftigen Prise Salz würzen und so lange schlagen, bis er Blasen wirft. Die Zwiebeln schälen und in Ringe schneiden. Den Backofen auf 200° vorheizen.

2. Salzwasser in einem breiten Topf erhitzen. Eine feuerfeste Form bereitstellen. Den Teig portionsweise durch einen Spätzleshobel in das siedende Wasser schaben. Wenn die Spätzle oben schwimmen, diese mit einem Schaumlöffel herausheben, abtropfen lassen und in die Form geben.

3. Die Spätzle sofort mit etwas Käse bestreuen und mit Pfeffer würzen. So fortfahren, bis der gesamte Teig aufgebraucht ist. Die letzte Schicht Spätzle mit dem restlichen Käse bestreuen und mit 2–3 Eßlöffeln von dem Kochwasser begießen. Die Spätzle im Backofen (Mitte) warm stellen.

4. Die Butter in einer Pfanne erhitzen. Die Zwiebelringe darin bei mittlerer Hitze goldbraun braten. Die Kässpätzle aus dem Ofen nehmen und mit den Zwiebelringen und eventuell Schnittlauch garnieren.

Krautkrapfa

Zutaten für 4 Personen:

300 g Mehl · Salz

3 Eier · 1 Eßl. Öl

100 g magerer Speck

100 g Schinkenwurst

1 Peitschastecka (Landjäger)

2 Eßl. Butterschmalz

300 g Sauerkraut

1 Teel. Kümmel

weißer Pfeffer, frisch gemahlen

1 ½ l Fleischbrühe

Preiswert
Braucht etwas Zeit

Pro Portion etwa:
3100 kJ/740 kcal
24 g Eiweiß · 45 g Fett
58 g Kohlenhydrate

• Zubereitungszeit: etwa
  2 Stunden (davon 30 Minuten
  Ruhezeit und 40 Minuten Garzeit)

1. Das Mehl mit etwas Salz, den Eiern, dem Öl und 1 Eßlöffel Wasser schnell zu einem geschmeidigen Teig kneten. Mit einem sauberen Küchentuch abdecken und etwa 30 Minuten ruhen lassen.

2. Den Speck und die Wurst klein würfeln. In einem großen Topf mit hitzebeständigen Griffen das Butterschmalz erhitzen und darin den Speck und die Wurst bei mittlerer Hitze anbraten. Das Sauerkraut ausdrükken, kleinschneiden und dazugeben. Mit Salz, Pfeffer und dem Kümmel würzen und etwa 10 Minuten unter Rühren mitbraten lassen. Vom Herd nehmen und etwas abkühlen lassen.

3. Den Backofen auf 200° vorheizen. Den Nudelteig auf einer bemehlten Arbeitsfläche möglichst dünn zu einem langgezogenen Rechteck ausrollen. Das Kraut darauf verteilen, einen schmalen Rand frei lassen. Den Teig von der langen Seite her fest aufrollen und die Rolle quer in Scheiben von 4–5 cm Dicke schneiden.

4. Die Scheiben mit der Schnittfläche nach unten nebeneinander in den Topf setzen. Die Fleischbrühe erhitzen und die Krautkrapfen damit begießen. Sie sollen von der Fleischbrühe eben bedeckt sein. Alles bei starker Hitze aufkochen. Die Krapfen zugedeckt im Backofen (Mitte) etwa 40 Minuten garen.

Im Bild vorne: Kässpätzle
Im Bild hinten: Krautkrapfa

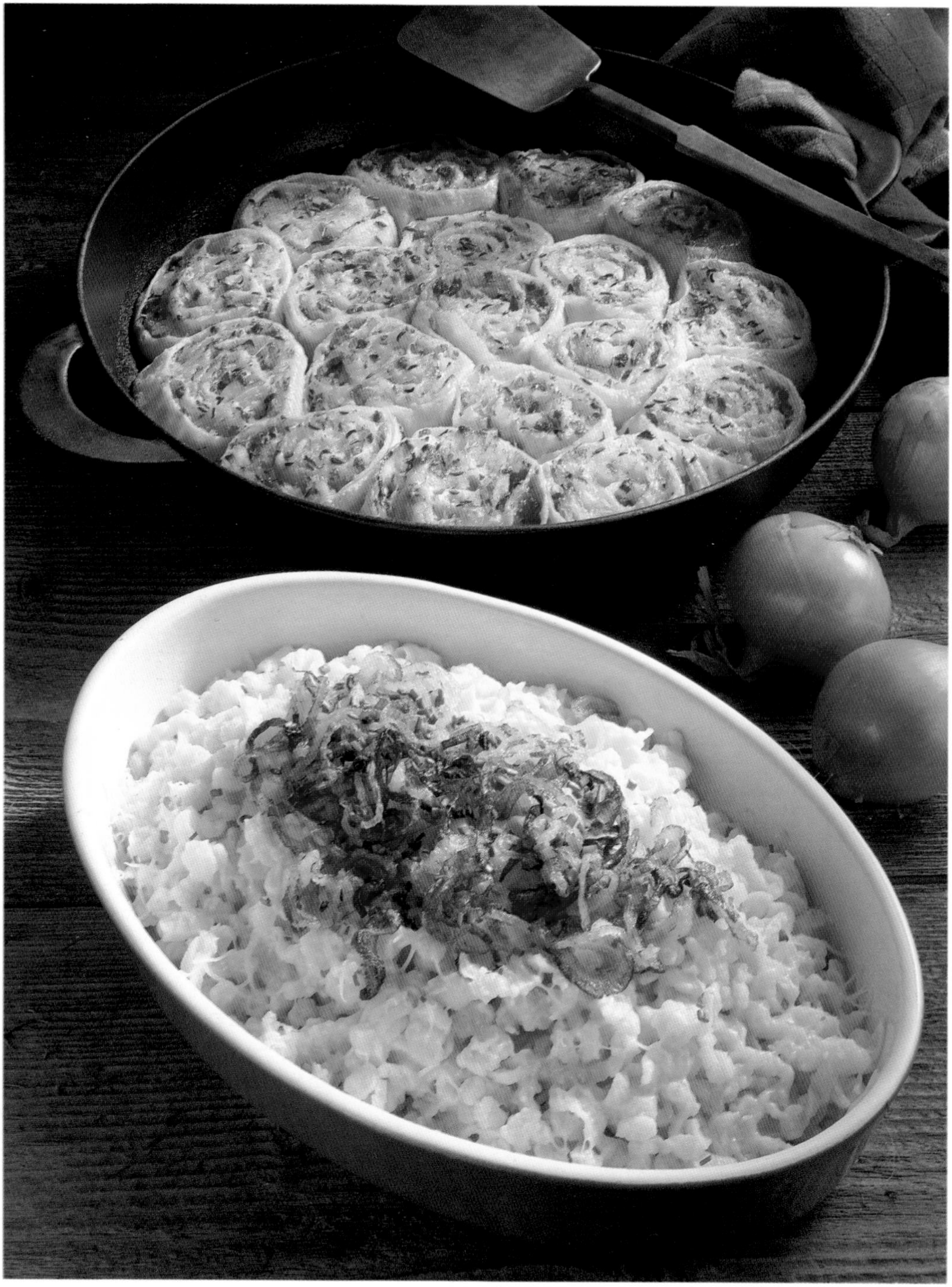

Abgschmelzte Maultascha

Zutaten für etwa 24 Stück
(ausreichend für 6 Personen):
Für den Teig:
300 g Mehl
3 Eier
1 Teel. Öl
Salz
Für die Füllung:
200 g frischer Spinat
Salz
1 Zwiebel
3 Scheiben Toastbrot
100 ml heiße Milch
50 g geräucherter Speck
200 g Hackfleisch oder Bratwurstbrät
2 Eier
Salz
Pfeffer, frisch gemahlen
Muskatnuß, frisch gerieben
2 Eßl. frische gehackte Kräuter
1 Eigelb
Außerdem:
1 ½ l Fleischbrühe
2 Zwiebeln
50 g Butter

Für Gäste

Pro Stück etwa:
575 kJ/140 kcal
6 g Eiweiß · 7 g Fett
13 g Kohlenhydrate

- Zubereitungszeit: etwa
  1 ½ Stunden

1. Das Mehl auf eine Arbeitsplatte sieben. Eine Vertiefung in
die Mitte drücken, die Eier aufschlagen und hineingleiten lassen. Das Öl, 2 Eßlöffel warmes
Wasser und etwas Salz dazugeben und alles schnell zu
einem geschmeidigen Teig
verkneten. Den Teig mit einem
Tuch abdecken und etwa
15 Minuten ruhen lassen.

2. Den Spinat verlesen,
waschen und die groben Stiele
entfernen. Wenig Salzwasser
aufkochen und den Spinat
darin kurz blanchieren. Herausnehmen, kalt abschrecken und
abtropfen lassen. Die Zwiebel
schälen und fein hacken. Den
Spinat ausdrücken und ebenfalls fein hacken. In eine Schüssel geben.

3. Das Brot klein würfeln und
mit der Milch begießen. Den
Speck klein würfeln. Mit dem
Hackfleisch oder dem Brät zum
Spinat geben. Das Brot ausdrücken und mit den Eiern
ebenfalls dazugeben. Alles zu
einem geschmeidigen Fleisch-
teig verarbeiten. Mit Salz, Pfeffer, Muskatnuß und den Kräutern würzen.

4. Den Nudelteig auf einer
bemehlten Arbeitsfläche dünn
ausrollen. Mit einem Teigrädchen Rechtecke von ca.
6 x 12 cm ausradeln.

5. Auf eine Hälfte der Teigrechtecke jeweils 1 Eßlöffel von der Füllung geben. Das Eigelb mit 2 Eßlöffeln Wasser verquirlen. Die Teigränder damit bestreichen. Die freie Teighälfte über die Füllung klappen und die Ränder fest andrücken.

6. Die Fleischbrühe aufkochen. Die Maultaschen in die kochende Brühe legen. Die Hitze reduzieren. Die Maultaschen in der Brühe 10–15 Minuten bei schwacher Hitze ziehen lassen.

7. Die Zwiebeln schälen und in dünne Ringe schneiden. Die Butter in einer Pfanne erhitzen. Die Zwiebelringe darin bei mittlerer Hitze goldbraun rösten.

8. Die Maultaschen auf vorgewärmten Tellern anrichten und mit wenig Brühe begießen. Die Zwiebelringe darauf verteilen. Dazu schmeckt ein bunter Salat.

Tips!

• Verwenden Sie für den Nudelteig niemals kalte Eier. Sie sollten Zimmertemperatur haben. Nehmen Sie die Eier also etwa 1–2 Stunden bevor Sie den Teig zubereiten aus dem Kühlschrank. Auch die Arbeitsfläche sollte nicht kalt sein: Ideal ist eine Holzfläche, ungeeignet dagegen sind Arbeitsflächen aus Marmor oder Stein.
• Sie können die Speckwürfel für die Füllung in einer Pfanne auslassen und in dem Fett die Zwiebeln andünsten.

Fisch-maultäschle in der Brühe

Zutaten für 4 Personen:

Für den Teig:

200 g Mehl

Salz

2 Eier

1 Teel. Öl

Für die Füllung:

200 g Fischfilets (Zander, Forelle)

100 g Sahne

50 g Crème fraîche

1 Eiweiß

Saft von 1/2 Zitrone

Salz

weißer Pfeffer, frisch gemahlen

3–5 Pfefferkörner

Für die Brühe:

300 g Fischkarkassen (Gräten, Kopf)

1 Bund Suppengrün

3 Eßl. Butter

1/8 l trockener Weißwein

1 Zwiebel

1 Nelke

1 Lorbeerblatt

einige Dillzweige

Zum Bestreichen: 1 Eigelb

Außerdem:

2 mittelgroße Möhren

1 Stange Lauch

100 g Weißkraut

1/2 Bund glatte Petersilie

Raffiniert • Für Gäste

Pro Portion etwa:
2200 kJ/520 kcal
22 g Eiweiß · 26 g Fett
47 g Kohlenhydrate

• Zubereitungszeit: etwa
  1 1/2 Stunden

1. Das Mehl auf eine Arbeitsfläche sieben. Mit 1 Prise Salz, den Eiern, dem Öl und 2 Eßlöffeln lauwarmem Wasser zu einem glatten Teig verkneten. Leicht mit Mehl bestäuben und zugedeckt etwa 30 Minuten ruhen lassen.

2. In der Zwischenzeit die Fischfilets unter fließendem Wasser kalt abwaschen, trockentupfen, in kleine Stücke schneiden und im Mixer fein pürieren. Mit der Sahne, der Crème fraîche, dem Eiweiß und dem Zitronensaft zu einer geschmeidigen Masse verrühren. Die Masse mit Salz und Pfeffer würzen und zugedeckt in den Kühlschrank stellen.

3. Die Fischabfälle unter fließendem kaltem Wasser gründlich waschen. Das Suppengrün waschen, putzen und kleinschneiden.

4. Die Butter in einem großen Topf erhitzen. Die Fischkarkassen und das Suppengrün darin bei schwacher Hitze hell andünsten. Mit dem Weißwein ablöschen und etwa 1 l Wasser angießen, die Fischkarkassen sollen mit Flüssigkeit bedeckt sein.

5. Die Zwiebel schälen, halbieren, mit der Nelke und dem Lorbeerblatt spicken. Den Dill waschen und zusammen mit der Zwiebel, den Pfefferkörnern und 1 Prise Salz in den Topf geben. Die Fischbrühe zugedeckt etwa 30 Minuten bei schwacher Hitze leise köcheln lassen.

6. Den Nudelteig auf einer bemehlten Arbeitsfläche dünn ausrollen. Mit einem Teigrädchen Rechtecke von etwa 7 x 15 cm ausradeln. Auf die untere Hälfte der Rechtecke je 1 Eßlöffel von der Fischfarce geben. Das Eigelb mit einer Gabel verquirlen und die Teigränder damit bestreichen. Die obere Teighälfte über die Füllung klappen und die Ränder fest zusammendrücken.

7. Die Fischbrühe durch ein Sieb in einen anderen Topf gießen und nochmals aufkochen. Die Möhren waschen, schälen und in streichholzdünne Stifte schneiden. Den Lauch längs halbieren, waschen und quer in dünne Streifen schneiden. Das Weißkraut waschen, putzen und fein hobeln. Die Petersilie waschen, trockenschütteln und fein hacken.

8. Die Maultaschen in die kochende Fischbrühe legen. Die Hitze reduzieren und die Maultaschen bei schwacher Hitze in etwa 15 Minuten garziehen lassen. Die Fischbrühe nach Bedarf nachwürzen. Die Gemüsestreifen hinzufügen und kurz ziehen lassen.

9. Die Maultaschen auf vorgewärmte Suppenteller verteilen. Die Brühe mit den Gemüsestreifen darüber schöpfen. Mit Petersilie bestreut servieren.

Ein besonders feines Maultaschengericht, das sich für ein festliches Mahl anbietet.

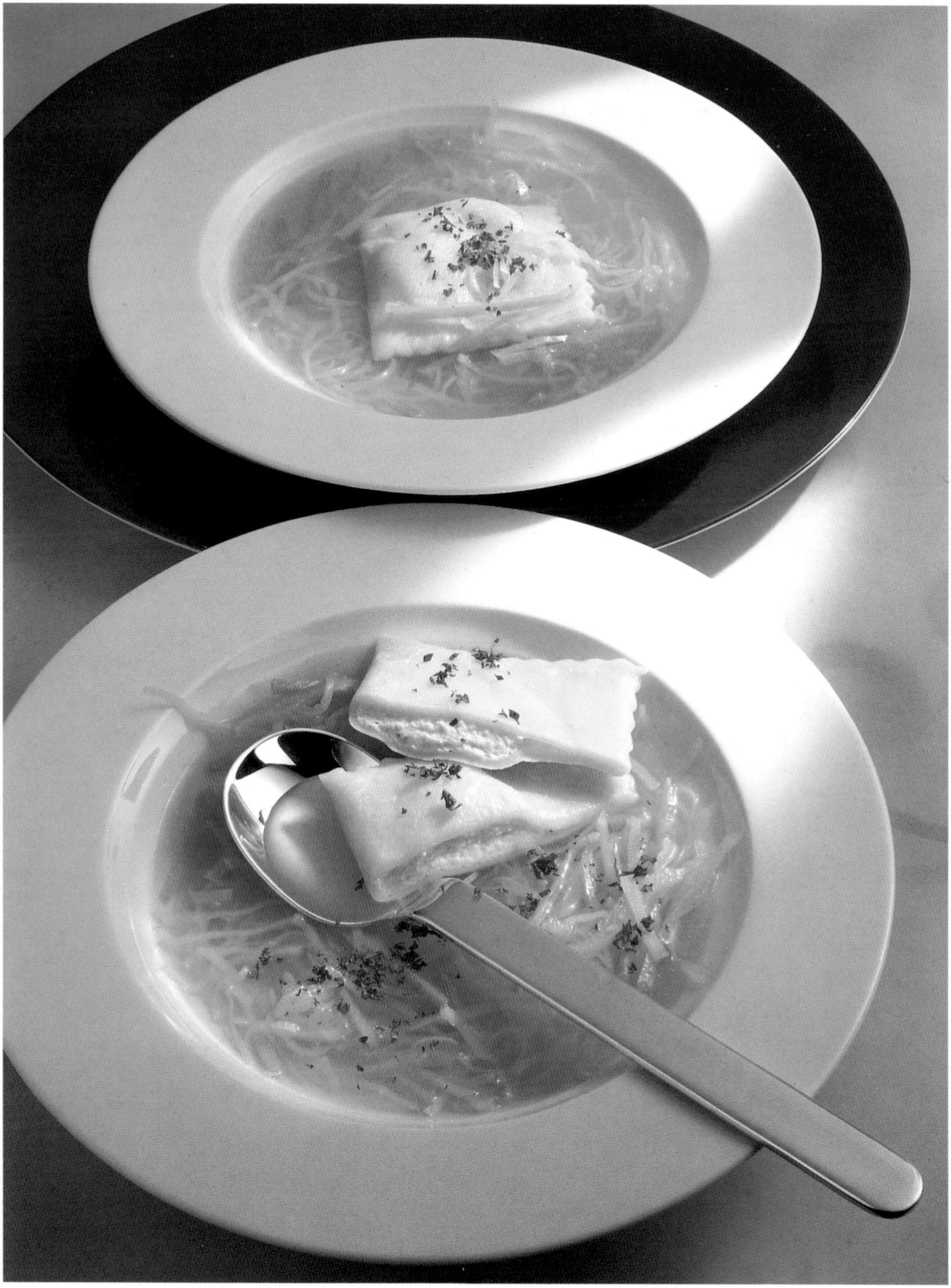

Kretzerfilets mit Egerlingen

Zutaten für 4 Personen:
600 g Kretzerfilets
Saft von 2 Zitronen
Salz
1 mittelgroße Zwiebel
200 g frische Egerlinge
1 Bund Petersilie
80 g Butter
200 ml Sekt
200 g Sahne
weißer Pfeffer, frisch gemahlen

Gelingt leicht

Pro Portion etwa:
2000 kJ/480 kcal
28 g Eiweiß · 33 g Fett
6 g Kohlenhydrate

• Zubereitungszeit: etwa
40 Minuten

1. Die Kretzerfilets unter fließendem kaltem Wasser waschen und trockentupfen. Mit der Hälfte des Zitronensafts beträufeln und mit etwas Salz würzen. Die Zwiebel schälen und fein hacken.

2. Die Egerlinge mit einem feuchten Tuch abreiben oder kurz abbrausen und in feine Scheibchen schneiden. Die Petersilie waschen, trockenschütteln. Die Blättchen abzupfen und grob hacken. In einem kleinen Topf die Hälfte der Butter erhitzen.

3. Die Zwiebelwürfel darin bei schwacher Hitze glasig dünsten. Die Egerlinge hinzufügen

und bei mittlerer Hitze so lange garen, bis die Flüssigkeit verdunstet ist. Den Sekt angießen und einige Minuten einkochen lassen. Die Sahne dazugeben und die Sauce mit dem restlichen Zitronensaft, Salz und Pfeffer pikant würzen.

4. Die restliche Butter in einer großen Pfanne erhitzen. Die Kretzerfilets darin bei mittlerer Hitze auf jeder Seite in 2–3 Minuten knusprig braten. Auf eine vorgewärmte Platte legen. Die gehackte Petersilie in dem Bratensatz schwenken und über die Fischfilets verteilen. Die Egerlingsauce getrennt dazu reichen. Dazu passen Salzkartoffeln.

Felchen in Tomaten-Zucchini-Butter

Zutaten für 4 Personen:
8 Felchenfilets von je etwa 80 g
½ Zitrone
Salz
weißer Pfeffer, frisch gemahlen
50 g Mehl
1 kleiner Zucchino
2 Fleischtomaten
4 Eßl. Butter

Schnell

Pro Portion etwa:
1835 kJ/380 kcal
18 g Eiweiß · 20 g Fett
13 g Kohlenhydrate

• Zubereitungszeit: etwa
30 Minuten

1. Die Fischfilets kalt abbrausen und trockentupfen. Die Zitrone auspressen. Die Fischfilets mit dem Zitronensaft beträufeln und mit Salz und Pfeffer würzen. In dem Mehl wenden.

2. Den Zucchino waschen, vom Stiel- und Blütenansatz befreien und in kleine Würfel schneiden. Die Tomaten mit kochendem Wasser überbrühen, häuten, halbieren, dabei von den Stielansätzen befreien. Die Kerne herausdrücken und die Tomatenhälften klein würfeln.

3. Die Hälfte der Butter in einer Pfanne zerlassen, die Fischfilets darin bei mittlerer Hitze von beiden Seiten etwa 2 Minuten goldbraun braten. Herausnehmen und warm stellen.

4. Die restliche Butter in einer Pfanne erhitzen, die Tomaten- und Zucchiniwürfel darin bei mittlerer Hitze etwa 3 Minuten schwenken. Die Fischfilets mit der Tomaten-Zucchini-Butter übergießen. Dazu passen Salzkartoffeln.

Im Bild vorne:
Kretzerfilets mit Egerlingen
Im Bild hinten:
Felchen in Tomaten-Zucchini-Butter

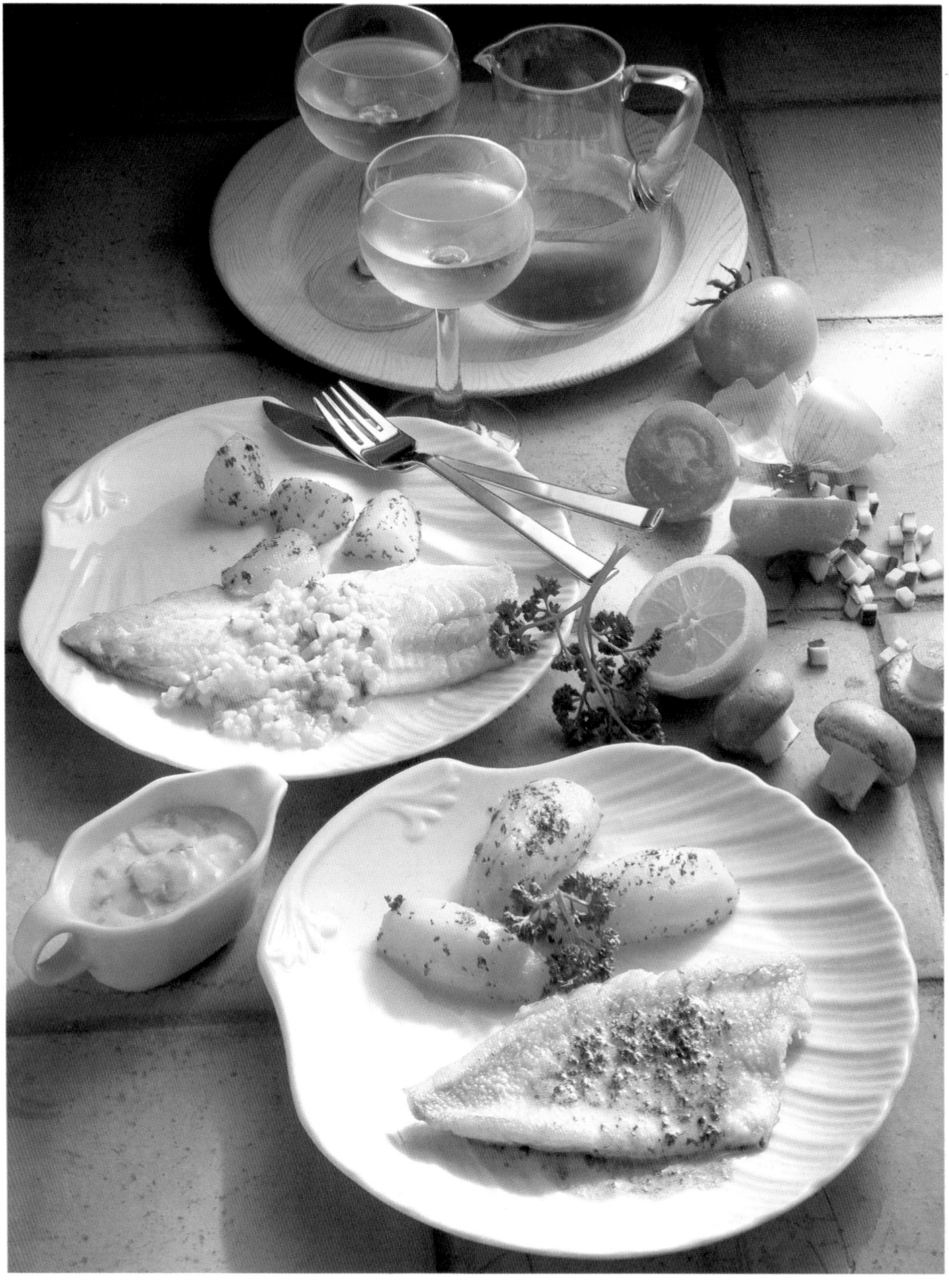

Rahmschnitzel

Zutaten für 4 Personen:
4 Kalbsschnitzel von je etwa 180 g
Salz
schwarzer Pfeffer, frisch gemahlen
100 g durchwachsener Räucherspeck
1 Zwiebel · 60 g Butterschmalz
2–3 Eßl. Tomatenmark
100 ml trockener Weißwein
200 g Sahne · 1 Prise Zucker
Saft von 1/2 Zitrone
Zum Wenden: Mehl

Gelingt leicht • Schnell

Pro Portion etwa:
2700 kJ/640 kcal
41 g Eiweiß · 50 g Fett
4 g Kohlenhydrate

• Zubereitungszeit: etwa
30 Minuten

1. Die Schnitzel dünn ausklopfen. Mit Salz und Pfeffer würzen und in Mehl wenden. Den Räucherspeck in kleine Würfel schneiden. Die Zwiebel schälen und fein hacken.

2. Das Butterschmalz in einer großen Pfanne erhitzen. Die Schnitzel darin auf beiden Seiten etwa 2 Minuten bei starker Hitze braten, herausnehmen und zugedeckt warm stellen.

3. Im verbliebenen Fett die Speck- und Zwiebelwürfel bei schwacher Hitze andünsten. Das Tomatenmark und den Weißwein unterrühren und die Sauce einige Minuten köcheln lassen. Die Sahne dazugeben und die Sauce mit Zucker und dem Zitronensaft würzen.

4. Die Schnitzel mit dem ausgetretenen Fleischsaft in die Sauce geben und kurz darin erwärmen. Dazu passen Spätzle oder Bratkartoffeln.

Kalbshaxe in Rotweinsauce

Zutaten für 4 Personen:
2 mittelgroße Zwiebeln
1 große Möhre
1 Stück Sellerieknolle (etwa 100 g)
1 kleine Petersilienwurzel
1 Knoblauchzehe
1 1/2 kg Kalbshaxe (vom Metzger
in etwa 4 cm dicke Scheiben sägen
lassen)
Salz
schwarzer Pfeffer, frisch gemahlen
4 Eßl. Öl · 1 Eßl. Tomatenmark
300 ml trockener Rotwein
2 Lorbeerblätter
1 Prise Pimentpulver
2 Gewürznelken
3/4 l Fleisch- oder Gemüsebrühe
1 Prise Zucker
Zum Wenden: Mehl

Für Gäste

Pro Portion etwa:
1800 kJ/430 kcal
55 g Eiweiß · 15 g Fett
7 g Kohlenhydrate

• Zubereitungszeit: etwa
2 1/2 Stunden (davon 2 Stunden Schmorzeit)

1. Die Zwiebeln, die Möhre, die Sellerieknolle und die Petersilienwurzel schälen und klein würfeln. Den Knoblauch schälen und fein hacken.

2. Die Kalbshaxenscheiben kalt abwaschen und trockentupfen. Mit Salz und Pfeffer würzen und in Mehl wenden.

3. Das Öl in einem großen Topf erhitzen. Die Kalbshaxenscheiben darin auf beiden Seiten bei starker Hitze kräftig anbraten.

4. Das vorbereitete Gemüse und das Tomatenmark zum Fleisch geben und unter ständigem Rühren mitrösten. Den Rotwein nach und nach dazugeben. Die Lorbeerblätter zerdrücken und mit dem Pimentpulver und den Gewürznelken zum Fleisch geben. Zuletzt die Brühe angießen.

5. Alles aufkochen. Dann die Kalbshaxen zugedeckt bei schwacher Hitze etwa 2 Stunden schmoren lassen.

6. Die Kalbshaxen aus der Sauce nehmen und zugedeckt warm stellen. Die Sauce durch ein Sieb passieren und erneut aufkochen. Mit Zucker, Salz und Pfeffer würzen.

7. Das Kalbfleisch von den Knochen lösen und der Länge nach in Scheiben schneiden. Auf vorgewärmte Teller verteilen und mit der Sauce überziehen. Dazu schmecken Grießschnecka, Spätzle oder Bratkartoffeln.

Im Bild vorne:
Kalbshaxe in Rotweinsauce
Im Bild hinten: Rahmschnitzel

Kalbsvögele

Zutaten für 4 Personen:

4 Kalbsschnitzel von je etwa 150 g

Salz · Pfeffer, frisch gemahlen

200 g frisches Kalbsbrät

*100 g Erbsen und Karotten, tief-
gefroren*

100 g Suppengemüse

(Möhre, Lauch, Sellerie)

4 EBl. Butter

2–3 EBl. Mehl

1/8 l trockener Weißwein

1/4 l Fleischbrühe

100 g Sahne · Saft von 1/2 Zitrone

Küchengarn

Zum Wenden: Mehl

Raffiniert • Für Gäste

Pro Portion etwa:
2100 kJ/500 kcal
39 g Eiweiß · 32 g Fett
11 g Kohlenhydrate

- Zubereitungszeit: etwa
  1 1/4 Stunden (davon
  45 Minuten Kochzeit)

1. Die Schnitzel mit Salz und
Pfeffer würzen. Das Brät mit
den Erbsen und Karotten vermengen. Die Mischung auf den
Fleischscheiben verteilen. Die
Scheiben aufrollen und mit Garn
umwickeln. In Mehl wenden.

2. Das Suppengemüse waschen, putzen und klein würfeln. Die Butter erhitzen und die
Rouladen darin bei mittlerer
Hitze rundum anbraten. Das
Gemüse dazugeben. 2–3 EB-
löffel Mehl darüber stäuben
und kurz anschwitzen lassen.
Mit dem Weißwein ablöschen.

3. Die Brühe dazugeben und
alles einmal aufkochen lassen.
Die Rouladen zugedeckt bei
schwacher Hitze in etwa
45 Minuten fertiggaren.

4. Die Rouladen aus der
Sauce nehmen und zugedeckt
warm stellen. Die Sauce einmal aufkochen lassen. Mit der
Sahne und dem Zitronensaft
verfeinern.

Eingmachts Kalbfleisch

Zutaten für 4 Personen:

1 Zwiebel · 1 Lorbeerblatt

1 Gewürznelke · 2 Möhren

1 Stück Sellerieknolle (etwa 100 g)

1/2 Stange Lauch

1 unbehandelte Zitrone

1/2 Bund Basilikum

300 ml trockener Weißwein

800 g Kalbfleisch (Schulter, Bug)

1/2 Teel. getrocknetes Liebstöckel

4–5 Pimentkörner

Salz · 3 EBl. Butter

2 EBl. Mehl · 1 Prise Zucker

weißer Pfeffer, frisch gemahlen

1 EBl. Kapern

Gelingt leicht

Pro Portion etwa:
1800 kJ/430 kcal
40 g Eiweiß · 19 g Fett
12 g Kohlenhydrate

- Zubereitungszeit: etwa
  1 1/4 Stunden
- Marinierzeit: etwa 24 Stunden

1. Die Zwiebel schälen, mit
dem Lorbeerblatt und der
Gewürznelke spicken. Die

Möhren und den Sellerie
waschen, schälen, in grobe
Stücke schneiden. Den Lauch
putzen, waschen und quer in
dicke Ringe schneiden. 1/2 Zitrone in Scheiben schneiden,
die andere Hälfte auspressen
und den Saft kühl stellen. Das
Basilikum waschen, trockenschütteln und die Blätter grob
zerpflücken. Alles in einen
großen Topf geben.

2. Das Fleisch von Haut und
Sehnen befreien und zum
Gemüse geben. 1/4 l Weiß-
wein mit 3/4 l Wasser verrühren
und darüber gießen. Das
Fleisch soll bedeckt sein. Alles
zugedeckt im Kühlschrank etwa
24 Stunden marinieren.

3. Das Fleisch mit dem Sud
aufkochen, dann bei schwacher Hitze etwa 1 Stunde garziehen lassen. Herausnehmen
und den Sud durch ein Sieb in
einen anderen Topf passieren.

4. Die Butter erhitzen. Das
Mehl einrühren und hell
anschwitzen lassen. Den Sud
unter Rühren angießen. Die
Sauce etwa 15 Minuten bei
mittlerer Hitze kochen lassen,
dabei immer wieder umrühren.
Mit dem Zitronensaft, Zucker,
Pfeffer, den Kapern und dem
restlichen Weißwein ab-
schmecken. Das Fleisch in
Scheiben schneiden und auf
einer Platte anrichten.

*Im Bild vorne: Kalbsvögele
Im Bild hinten:
Eingmachts Kalbfleisch*

Zwiebelroscht-brota

Zutaten für 4 Personen:

4 Rinderlendenschnitten von je etwa 200 g (Roastbeef)

schwarzer Pfeffer, frisch gemahlen

4 große Zwiebeln

100 ml Öl

Salz

Zum Wenden: Mehl

Für Gäste

Pro Portion etwa:
2500 kJ/600 kcal
42 g Eiweiß · 46 g Fett
4 g Kohlenhydrate

• Zubereitungszeit: etwa
  45 Minuten

1. Das Fleisch von Fett und Sehnen befreien kalt abwaschen und trockentupfen. Mit dem Handballen flach drücken. Auf beiden Seiten mit Pfeffer würzen und in Mehl wenden.

2. Die Zwiebeln schälen und in feine Ringe schneiden. Die Hälfte des Öls in einer großen Pfanne erhitzen. Die Lendenschnitten darin bei mittlerer Hitze auf jeder Seite etwa 4 Minuten braten. Das Fleisch herausnehmen, mit Salz würzen und zugedeckt warm stellen.

3. Das restliche Öl in die Pfanne geben. Die Zwiebelringe darin bei mittlerer Hitze goldbraun und knusprig braten. Das Fleisch auf vorgewärmten Tellern anrichten und die Zwiebeln darauf verteilen.

Filettöpfle

Zutaten für 4 Personen:

300 g Schweinefilet

4 Kalbsmedaillons von je etwa 100 g

Salz

Pfeffer, frisch gemahlen

300 g frische Pfifferlinge

1 Bund Petersilie · 2 Schalotten

1 Knoblauchzehe

1 Eßl. Butterschmalz

60 g Butter

100 ml trockener Weißwein

100 ml Fleischbrühe

200 g Sahne

50 g saure Sahne

400 g Spätzle

Saft von ½ Zitrone

Muskatnuß, frisch gerieben

Für Gäste

Pro Portion etwa:
4000 kJ/950 kcal
51 g Eiweiß · 46 g Fett
79 g Kohlenhydrate

• Zubereitungszeit: etwa
  40 Minuten

1. Das Fleisch kalt abwaschen, trockentupfen und von Haut und Sehnen befreien. Das Schweinefilet quer in vier dicke Medaillons schneiden. Alle Fleischscheiben mit dem Handballen etwas flachdrücken. Mit Salz und Pfeffer würzen.

2. Die Pfifferlinge verlesen, putzen, waschen und gut abtropfen lassen. Die Petersilie waschen, trockenschütteln und ohne die groben Stiele fein hacken. Die Schalotten und die Knoblauchzehe schälen und klein würfeln.

3. Das Butterschmalz erhitzen. Die Fleischstücke darin auf beiden Seiten etwa 6 Minuten bei mittlerer Hitze braten. Herausnehmen und zugedeckt warm stellen.

4. 20 g Butter zerlassen. Die Schalotten und den Knoblauch darin bei schwacher Hitze andünsten. Die Pfifferlinge dazugeben und alles so lange dünsten, bis die Flüssigkeit verdunstet ist.

5. Die Petersilie unterrühren. Den Weißwein und die Fleischbrühe angießen. Alles 5–8 Minuten leise köcheln lassen. Die Sahne und die saure Sahne einrühren, mit Salz, Pfeffer und Zitronensaft würzen.

6. Die restliche Butter in einer zweiten Pfanne erhitzen. Die Spätzle darin kurz erwärmen. Mit Salz und Muskatnuß würzen. Die Fleischstücke auf den Spätzle anrichten, mit der Sauce überziehen.

Bild oben: Zwiebelroschtbrota
Bild unten: Filettöpfle

Gfüllte Mistkratzerle

Zutaten für 4 Personen:

2 Brathähnchen von je etwa 800 g

Salz

weißer Pfeffer, frisch gemahlen

1 Ei

150 g Quark (Magerstufe)

50 g saure Sahne

100 g Crème fraîche

1 Bund frische Kräuter (Petersilie, Kerbel, Schnittlauch)

150 g Toastbrot

100 g Butter

1 Bund Suppengrün

¼ l trockener Weißwein

1 Zwiebel

einige Pfefferkörner

Für die Form: Butter

Küchengarn

**Raffiniert
Braucht etwas Zeit**

Pro Portion etwa:
4000 kJ/950 kcal
73 g Eiweiß · 52 g Fett
26 g Kohlenhydrate

● Zubereitungszeit: etwa
2 Stunden (davon 45 Minuten
Bratzeit)

1. Die beiden Hähnchen waschen, trockentupfen, häuten und längs halbieren. Die Hälften mit einem scharfen Messer so entbeinen, daß das Fleisch zusammenbleibt. Mit Salz und Pfeffer würzen.

2. Den Backofen auf 200° vorheizen. Das Ei trennen. Den Quark in einem sauberen Küchentuch fest auspressen und mit der sauren Sahne, der Hälfte der Crème fraîche und dem Eigelb glatt rühren.

3. Das Eiweiß steif schlagen. Die Kräuter waschen, trockenschütteln und ohne die groben Stiele fein hacken. Das Brot in kleine Würfel schneiden. Die Kräuter, das Brot und den Eischnee unter den Quark heben, die Masse mit Salz und Pfeffer würzen.

4. Zwei Hähnchenhälften mit der Masse bestreichen, die jeweils passenden Hälften darauf legen und mit Küchengarn fest zusammenbinden.

5. In einer Bratraine 60 g Butter erhitzen und darin die Hähnchen von allen Seiten anbraten. Die gefüllten Mistkratzerle im Backofen (Mitte) etwa 45 Minuten braten, dabei immer wieder mit dem Bratfett bepinseln.

6. In der Zwischenzeit die Hähnchenknochen zerkleinern und waschen. Das Suppengrün waschen, putzen und in grobe Stücke schneiden. In einem Topf die restliche Butter erhitzen und die Knochen darin bei mittlerer Hitze anrösten. Mit dem Weißwein ablöschen. ⅛ l Wasser dazugeben und alles mit Salz würzen. Die Zwiebel schälen, halbieren und mit dem Suppengrün und den Pfefferkörnern dazugeben. Alles etwa 30 Minuten bei schwacher Hitze leise köcheln lassen.

7. Die Brühe durch ein Sieb in einen anderen Topf gießen, aufkochen, eventuell noch mit Salz und Pfeffer nachwürzen und mit der restlichen Crème fraîche verfeinern. Diese Sauce zu den Hähnchen reichen.

Tip!

Sie können die Quarkfüllung mit geräucherten Schinkenwürfeln oder mit Kalbsbries verfeinern.
Als Beilage passen Gemüsereis, Schupfnudeln und natürlich Spätzle.

Hähnchenfleisch mit feiner Quarkfüllung – eine raffinierte Art, Geflügel zuzubereiten.

Haseragout mit Hollergelee

Zutaten für 4 Personen:
Für die Marinade:
2 Möhren
1 Stück Knollensellerie (etwa 100 g)
1 Zwiebel
1 Stange Lauch
100 ml Rotweinessig
200 ml Rotwein
1 Teel. Wacholderbeeren
3–4 Gewürznelken
2 Lorbeerblätter
1 Teel. getrocknetes Rosmarin
1 Teel. getrockneter Thymian
Für das Ragout:
2 kg Hasenfleisch mit Knochen
(vom Metzger zerteilen lassen)
100 g durchwachsener Räucherspeck
1 Zwiebel
1 Eßl. Butterschmalz
Salz
schwarzer Pfeffer, frisch gemahlen
1 Eßl. Mehl
5 cl Wacholderschnaps
⅛ l Rotwein
2 Eßl. Holundergelee
200 g saure Sahne
4 Eßl. geschlagene Sahne

**Für Gäste
Braucht etwas Zeit**

Pro Portion etwa:
3400 kJ/810 kcal
72 g Eiweiß · 38 g Fett
22 g Kohlenhydrate

• Zubereitungszeit: etwa
  1 ½ Stunden
• Marinierzeit: mindestens
  12 Stunden, am besten über
  Nacht

1. Die Möhren und den Sellerie waschen, schälen und grob
zerkleinern. Die Zwiebel
schälen und grob würfeln. Den
Lauch längs aufschlitzen, unter
fließendem Wasser abbrausen
und quer in etwa 1 cm dicke
Ringe schneiden.

2. Das Gemüse in einen
großen Topf geben. Den Rotweinessig, den Rotwein und
1 l Wasser angießen. Die
Wacholderbeeren, die Nel-
ken, die Lorbeerblätter, den
Rosmarin und den Thymian
unterrühren. Alles einmal aufkochen, dann erkalten lassen.

3. Die Fleischstücke waschen,
trockentupfen, in die Marinade
legen und zugedeckt mindestens 12 Stunden, am besten
über Nacht, im Kühlschrank
marinieren.

4. Das Hasenfleisch aus der
Marinade nehmen und trockentupfen. Den Speck klein würfeln. Die Zwiebel schälen und
fein hacken. Das Butterschmalz
in einem großen Topf erhitzen
und darin die Speck- und Zwiebelwürfel bei schwacher Hitze
kurz andünsten.

5. Das Fleisch mit Salz und
Pfeffer würzen, dazugeben und
bei mittlerer Hitze rundum
anbraten. Das Mehl darüber
stäuben und kurz anschwitzen.
Mit dem Wacholderschnaps
ablöschen.

6. Den Rotwein unter Rühren
angießen. So viel Marinade
durch ein Sieb dazugießen,
daß das Fleisch vollständig

bedeckt ist. Alles zugedeckt
bei schwacher Hitze etwa
50 Minuten schmoren lassen.

7. Das Fleisch herausnehmen
und zugedeckt warm stellen.
Die Sauce durch ein Sieb passieren und etwa 10 Minuten
bei mittlerer Hitze kochen lassen. Die Hitze reduzieren und
die Sauce mit dem Holundergelee und der sauren Sahne
verfeinern. Eventuell nochmals
nachwürzen.

8. Das Fleisch von den Knochen lösen und mit dem
Fleischsaft und der Sauce in
eine große vorgewärmte Schüssel geben, mit der Sahne garnieren. Nach Belieben noch
Holundergelee getrennt dazu
reichen.

Tips!
• Statt Holundergelee eig-
nen sich auch eingemachte
Wildpreiselbeeren.
• Den Rotwein und den
Wacholderschnaps können
Sie durch eine kräftige
Fleischbrühe oder Wildfond
aus dem Glas ersetzen.

*Eine köstliche Zubereitungsweise für
Wild, die sich natürlich auch für
andere Wildsorten eignet.*

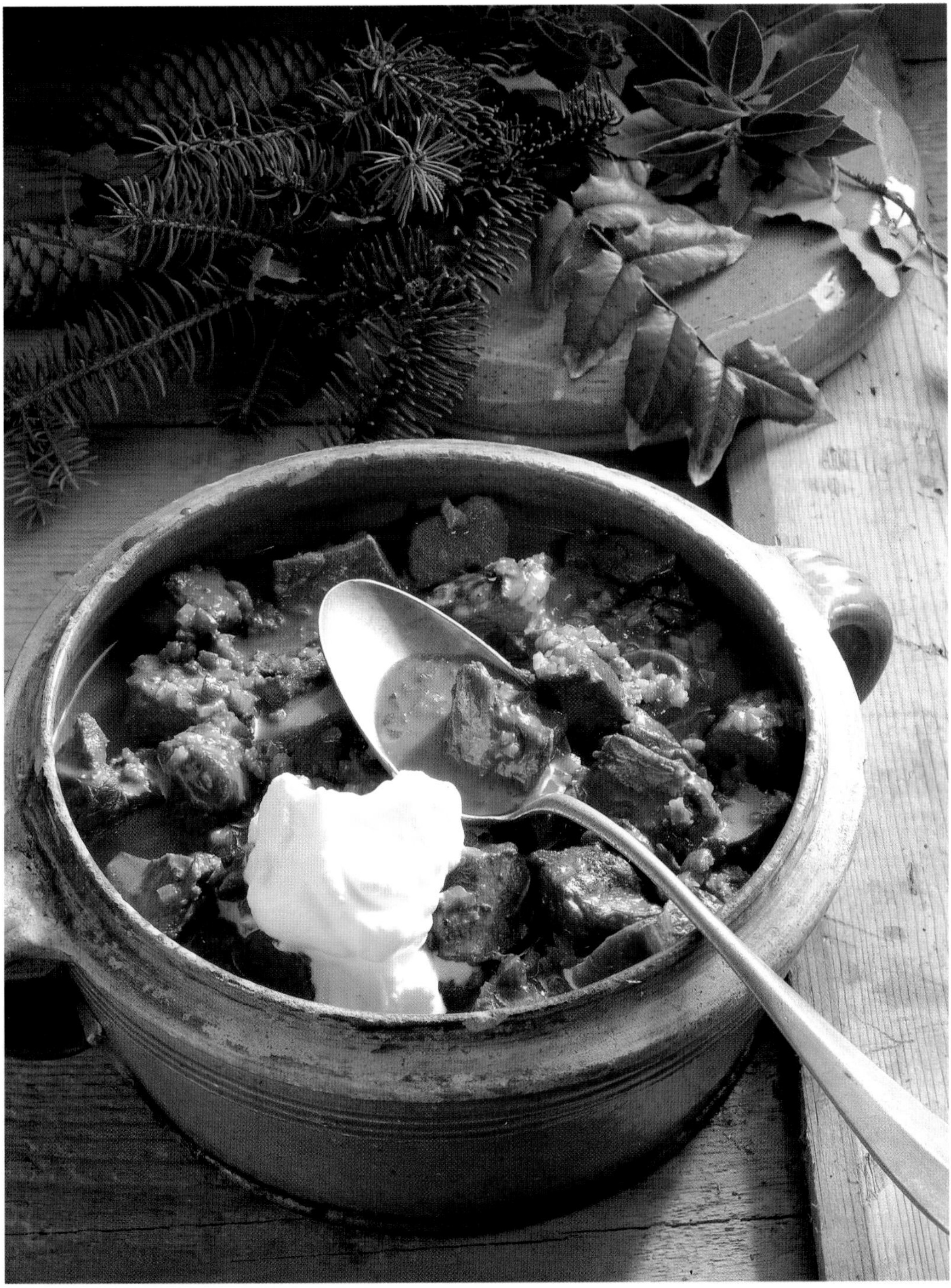

Grießschnecka

Die Grießschnecken passen hervorragend zu Braten und Schmorgerichten mit viel Sauce.

Zutaten für 4 Personen:
250 g Mehl · Salz
450 ml Milch · 1 Ei
1 EßI. Öl
80 g Butter · 120 g Grieß

Preiswert

Pro Portion etwa:
2500 kJ/600 kcal
15 g Eiweiß · 24 g Fett
77 g Kohlenhydrate

- Zubereitungszeit: etwa 40 Minuten

1. Das Mehl auf eine Arbeitsplatte sieben. Mit 1 Prise Salz, 100 ml Milch, dem Ei und dem Öl zu einem festen, geschmeidigen Teig kneten. Mit einem Küchentuch bedecken und kurz ruhen lassen.

2. Die Butter erhitzen. Den Grieß einrieseln lassen und unter ständigem Rühren goldgelb anbraten. Die restliche Milch dazugeben und den Grieß etwa 8 Minuten quellen lassen. Die Masse mit Salz würzen.

3. Den Nudelteig auf einer bemehlten Arbeitsfläche dünn ausrollen. Die Teigplatte mit der Grießmasse bestreichen, dabei einen Rand von etwa 1 cm frei lassen. Aufrollen und die Ränder fest andrücken. Die Teigrolle in ein Küchentuch

wickeln. Die Enden des Tuchs locker abbinden.

4. Salzwasser in einem großen Topf erhitzen. Die Teigrolle darin bei schwacher Hitze etwa 15 Minuten ziehen lassen. Herausnehmen und abtropfen lassen. Aus dem Tuch wickeln und quer in etwa 2 cm dicke Scheiben schneiden.

Kartoffel-Lauch-Puffer

Zutaten für 4 Personen:
1 Stange Lauch
2 EßI. Butter
1 kg festkochende Kartoffeln
2 EßI. saure Sahne
1 Zwiebel
3 EßI. Mehl
1 Ei
1 Eigelb
Salz
weißer Pfeffer, frisch gemahlen
Muskatnuß, frisch gerieben
50 g Butterschmalz

Gelingt leicht

Pro Portion etwa:
1600 kJ/380 kcal
9 g Eiweiß · 21 g Fett
39 g Kohlenhydrate

- Zubereitungszeit: etwa 40 Minuten

1. Den Lauch der Länge nach halbieren und unter fließendem Wasser gründlich waschen. Quer in feine Streifen schneiden. In einer Pfanne die Butter erhitzen und darin die Lauchstreifen bei schwacher Hitze

glasig dünsten. Die Pfanne vom Herd nehmen.

2. Eine Schüssel mit einem sauberen Küchentuch auslegen. Die Kartoffeln waschen, schälen und in die Schüssel fein reiben. Die Kartoffeln mit Hilfes des Tuches etwas ausdrücken und den Saft wegschütten. Die Kartoffeln mit der sauren Sahne verrühren. Die Zwiebel schälen und dazureiben. Den Lauch, das Mehl, das Ei und das Eigelb untermischen. Alles mit Salz, Pfeffer und Muskatnuß würzen.

3. Etwas Butterschmalz in einer großen Pfanne erhitzen. Darin aus der Masse etwa handtellergroße goldbraune Puffer backen. So fortfahren, bis der Teig und das Butterschmalz verbraucht sind.

Tip!

Kartoffelpuffer vertragen sich nicht nur mit pikanten Gerichten. Sie schmecken auch hervorragend zu Apfelmus. In diesem Fall sollten Sie den Lauch allerdings weglassen. Richtig elegant sind die Kartoffelpuffer als Vorspeise mit einem Klecks saurer Sahne und einem Teelöffel Kaviar.

Im Bild vorne: Grießschnecka
Im Bild hinten: Kartoffel-Lauch-Puffer

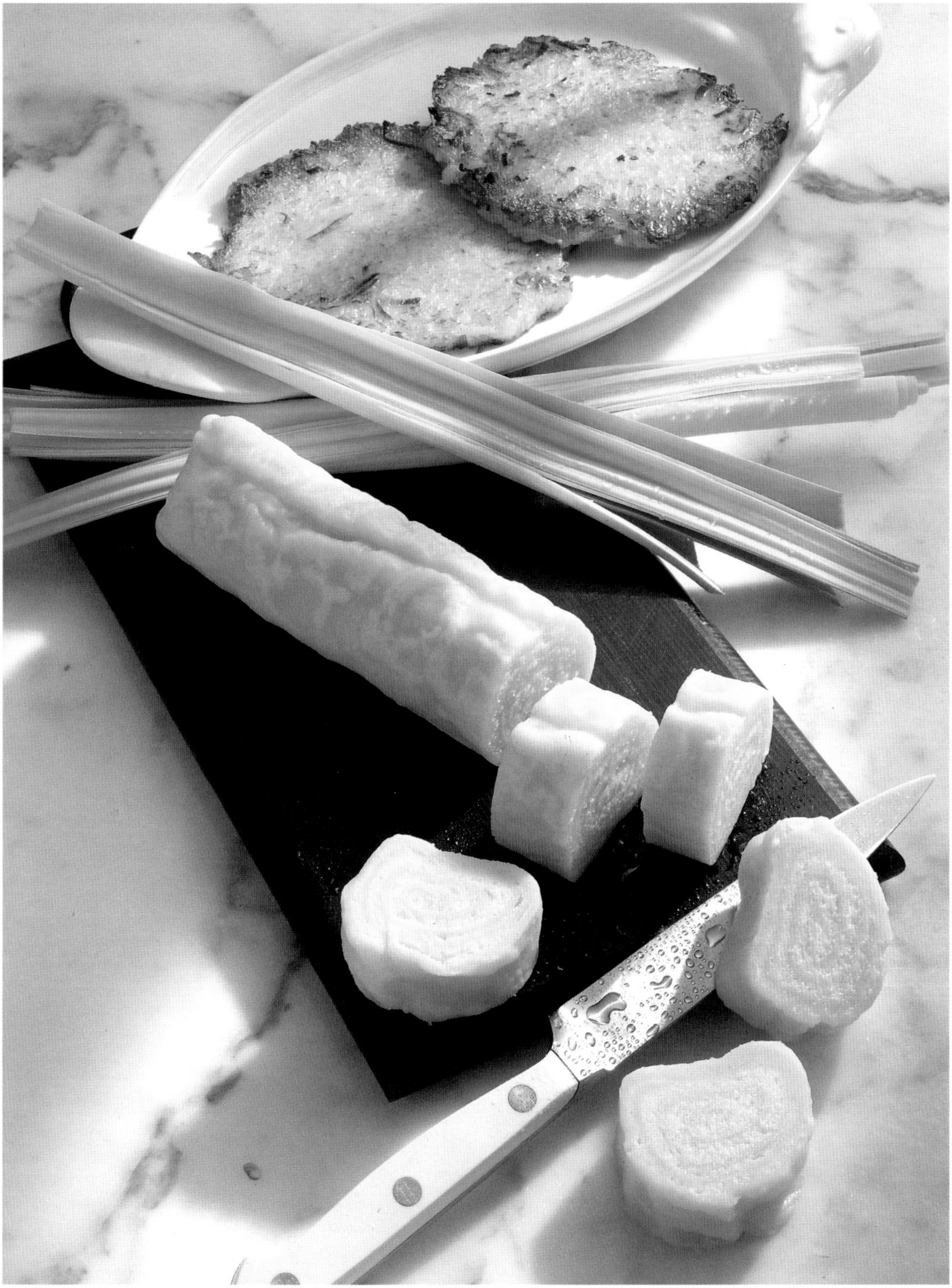

Spätzle

Diese Eierteigwaren sind so etwas wie das Nationalgericht der Schwaben. Der zähflüssige Teig wird auf ein spezielles, leicht abgeschrägtes Brett gestrichen und von dort mit einem Messer oder einer Teigkarte in unglaublicher Geschwindigkeit in kochendes Salzwasser geschabt. Gottlob gibt es aber auch einen speziellen Spätzlehobel für weniger Geübte.

Zutaten für 4 Personen:
500 g Mehl
4–5 Eier
Salz
Mineralwasser
2 Eßl. Butter

Braucht etwas Zeit

Pro Portion etwa:
2400 kJ/570 kcal
22 g Eiweiß · 13 g Fett
93 g Kohlenhydrate

• Zubereitungszeit: etwa
40 Minuten

1. Das Mehl in eine Schüssel geben. Die Eier und knapp 1 Teelöffel Salz dazugeben. Alles mit einem Kochlöffel oder den Knethaken des Handrührgerätes verrühren. So viel Mineralwasser dazugeben, daß ein zähflüssiger Teig entsteht; er sollte Blasen werfen.

2. Reichlich Salzwasser in einem breiten Topf erhitzen. Etwas Teig mit einem Teigschaber auf einem nassen Spätzlebrett glattstreichen. Den Teig mit einem Messer oder einer Teigkarte in das siedende Wasser schaben. Wenn die Spätzle an der Wasseroberfläche schwimmen, sind sie gar.

3. Eine Schüssel mit kaltem Wasser bereitstellen. Die Spätzle mit einem Schaumlöffel herausheben und in das kalte Wasser geben. So fortfahren, bis der Teig verbraucht ist.

4. Die Spätzle in ein Sieb abgießen und abtropfen lassen. Zum Erwärmen die Butter in einer großen Pfanne erhitzen und die Spätzle darin bei schwacher Hitze unter Schwenken erwärmen. In einer vorgewärmten Schüssel servieren.

Spinatspätzle mit Mandeln

Versuchen Sie diesen schwäbischen Schatz einmal als Beilage zu Schweinemedaillons in Rahmsauce oder solo mit einer leichten Käsecreme.

Zutaten für 4 Personen:
200 g frischer Blattspinat
Salz
500 g Mehl
100 ml Mineralwasser
4 Eier
Muskatnuß, frisch gerieben
1 mittelgroße Zwiebel
100 g Butter
80 g Mandeln (Blättchen oder Stifte)

Raffiniert • Vegetarisch

Pro Portion etwa:
3500 kJ/830 kcal
25 g Eiweiß · 39 g Fett
96 g Kohlenhydrate

• Zubereitungszeit: etwa 1 Stunde

1. Den Spinat verlesen, waschen und die groben Stiele abknipsen. Salzwasser in einem großen Topf erhitzen. Den Spinat darin etwa 2 Minuten blanchieren. Herausheben, mit kaltem Wasser abschrecken und gut abtropfen lassen. Den Spinat sehr fein hacken oder pürieren.

2. Das Mehl, das Mineralwasser, die Eier und den Spinat mit den Knethaken des Handrührgerätes zu einem zähflüssigen Teig verrühren. So lange rühren, bis der Teig Blasen wirft. Mit Muskatnuß würzen.

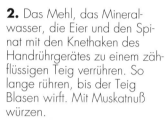

3. Reichlich Salzwasser in einem großen Topf aufkochen. Daneben eine Schüssel mit kaltem Wasser stellen. Den Spinatteig portionsweise mit dem Spätzlehobel in das kochende Wasser schaben. Sobald die Spätzle oben schwimmen, diese mit einem Schaumlöffel in das kalte Wasser geben.

4. Die Spätzle in ein Sieb geben und abtropfen lassen. Die Zwiebel schälen und fein hacken. Die Butter in einer großen Pfanne erhitzen. Die Zwiebelwürfel darin bei schwacher Hitze glasig dünsten. Die Spätzle und die Mandeln dazugeben und unter Schwenken erhitzen. Sofort servieren.

Kratzete

Kratzete ist ein dicker, besonders lockerer Pfannkuchen, der, wie Kaiserschmarrn, mit zwei Gabeln in der Pfanne in Stücke gerissen wird. Kratzete wird gerne zu Spargelgerichten gereicht, schmeckt aber auch vorzüglich mit Zimt-Zucker bestreut zu frischem Apfel- oder Birnenkompott.

Zutaten für 4 Personen:
250 g Mehl
Salz
4 Eier
knapp ½ l Milch
100 g Butter

Preiswert

Pro Portion etwa:
2400 kJ/570 kcal
18 g Eiweiß · 32 g Fett
52 g Kohlenhydrate

* Zubereitungszeit: etwa
  45 Minuten

1. Das Mehl in eine Schüssel sieben. Eine kräftige Prise Salz dazugeben. Die Eier dazugeben und unterrühren. Nach und nach die Milch mit den Schneebesen des Handrührgeräts unterrühren. Der Teig soll glatt und dickflüssig sein. Den Teig etwa 15 Minuten ruhen lassen.

2. Etwas Butter in einer Pfanne erhitzen. Die Hälfte des Eierteiges hineingießen und stocken lassen, bis die Unterseite fest ist. Die Oberseite soll noch feucht sein.

3. Mit einem Spatel oder mit zwei Gabeln den Pfannkuchen in große Stücke reißen, wenden. Immer wieder etwas Butter in die Pfanne gleiten lassen, damit der Pfannkuchen nicht anbrennt. Die Kratzete herausnehmen und zugedeckt warm stellen. Mit dem restlichen Teig genauso verfahren.

Tip!

Die Kratzete gelingt besonders gut in einer beschichteten Pfanne. Dann brauchen Sie kaum Fett. Ganz ohne geht's allerdings nicht, denn Fett ist auch ein Geschmacksträger. Die Kratzete wird schön locker, wenn Sie die Eier trennen, die Eiweiße steif schlagen und zum Schluß unter den Teig heben.

Buabaspitzla

Sie sind auch bekannt als Schupf-, Finger- oder Kartoffelnudeln. Die zeppelinförmigen Nudeln werden gerne mit Salat oder als Beilage zu deftigen Gerichten gereicht.

Zutaten für 4 Personen:
1 kg gekochte Kartoffeln vom Vortag (festkochende Sorte)
150 g Mehl
1–2 Eier
Salz
Zum Braten: Butterschmalz

Preiswert

Pro Portion etwa:
1900 kJ/450 kcal
13 g Eiweiß · 14 g Fett
68 g Kohlenhydrate

* Zubereitungszeit: etwa
  1 ½ Stunden

1. Die Kartoffeln schälen und zerstampfen oder durch die Kartoffelpresse drücken. Mit dem Mehl, dem Ei oder den Eiern und Salz zu einem festen Teig verkneten.

2. Aus dem Teig zwischen bemehlten Handflächen zeppelinförmige Nudeln formen, die an den Enden spitz zulaufen. Die Nudeln nebeneinander auf ein bemehltes Brett legen.

3. Etwa 3 Eßlöffel Butterschmalz in einer großen Pfanne erhitzen und die Nudeln darin portionsweise bei mittlerer Hitze rundum goldbraun ausbacken. Die fertigen Nudeln zugedeckt warm stellen, bis der ganze Teig verbraucht ist.

Tip!

Es lohnt sich, wenn Sie gleich eine größere Menge von den Nudeln herstellen, denn sie lassen sich ungebacken gut einfrieren.

Im Bild vorne: Buabaspitzla
Im Bild hinten: Kratzete

Dampfnudla mit Karamelsauce

Zutaten für etwa 10 Stück:

200 ml Milch

500 g Mehl

1/2 Würfel Hefe (20 g)

50 g Zucker

50 g weiche Butter

etwas abgeriebene Schale einer

unbehandelten Zitrone

1 Ei

1 Eigelb

Salz

Für die Form:

50 g Butter

2 EßI. Zucker

200 ml Milch

Für die Karamelsauce:

3 EßI. Butter

2–3 EßI. Zucker

1/4 I Milch

Braucht etwas Zeit

Pro Stück etwa:
4500 kJ/1100 kcal
21 g Eiweiß · 54 g Fett
120 g Kohlenhydrate

• Zubereitungszeit: etwa
  2 1/2 Stunden (davon
  1 1/2 Stunden Ruhezeit)

1. Die Milch in einem kleinen Topf erwärmen. Das Mehl in eine Rührschüssel sieben und eine Mulde hineindrücken. Die Hefe hineinbröckeln, mit 1 Eßlöffel Zucker bestreuen. Mit der Milch und etwas Mehl zu einem Vorteig verrühren. Den Vorteig zugedeckt an einem warmen Ort etwa 30 Minuten gehen lassen.

2. Den restlichen Zucker, die Butter, die Zitronenschale, das Ei, das Eigelb und Salz dazugeben und alles mit den Händen oder den Knethaken des Handrührgerätes zu einem geschmeidigen Teig verkneten. Den Teig zugedeckt an einem warmen Ort etwa 1 Stunde gehen lassen, bis sich sein Volumen verdoppelt hat.

3. Den Teig auf eine bemehlte Arbeitsplatte legen. Mit leicht geölten Händen den Hefeteig ein paarmal durchkneten. Den Teig in etwa 10 gleiche Portionen teilen. Diese zu Kugeln formen und auf ein bemehltes Brett nicht zu dicht nebeneinander setzen. Die Dampfnudeln zugedeckt nochmals etwa 30 Minuten gehen lassen. Den Backofen auf 180° vorheizen.

4. In einer großen Bratreine oder Auflaufform mit passendem Deckel die Butter schmelzen lassen. Den Zucker und die Milch dazugeben und alles aufkochen. Die Dampfnudeln in die heiße Flüssigkeit setzen und zugedeckt im Backofen (Mitte) etwa 30 Minuten backen.

5. In der Zwischenzeit die Karamelsauce zubereiten. Dafür die Butter in einem Topf zerlassen. Den Zucker einrieseln lassen und bei mittlerer Hitze hellbraun karamelisieren. Die Milch unter Rühren nach und nach dazugeben. Die Sauce nur kurz köcheln lassen, dann vom Herd nehmen.

6. Die fertigen Dampfnudeln in der Form servieren. Die Karamelsauce warm oder kalt getrennt dazu reichen.

Variante:
Dampfnudla auf Kartoffelbett
Die salzige Variante der Dampfnudeln ist nicht so bekannt wie die süße Schleckerei. Dafür 1 kg Kartoffeln waschen, schälen und in dünne Scheiben schneiden. Eine feuerfeste Form mit Butter ausstreichen, die Kartoffeln hineingeben. Mit etwa 1/4 l Fleischbrühe begießen. Die Kartoffeln im Backofen bei 200° etwa 10 Minuten kochen lassen. Die gegangenen Dampfnudeln nebeneinander auf die Kartoffeln setzen. Alles zugedeckt im Backofen (Mitte) in etwa 30 Minuten fertiggaren.

Tip!

Zu den süßen Dampfnudeln schmecken Vanillesauce und eingemachtes Obst, wie Kirschen oder Zwetschgen, ganz ausgezeichnet. Sie können die Dampfnudeln auch mit Obst füllen, beispielsweise mit frischen Aprikosen. Geben Sie dann an die Stelle des Aprikosensteins 1 Stück Würfelzucker.

Dampfnudla schmecken frisch aus dem Ofen am besten – die Sauce können Sie aber gut vorbereiten.

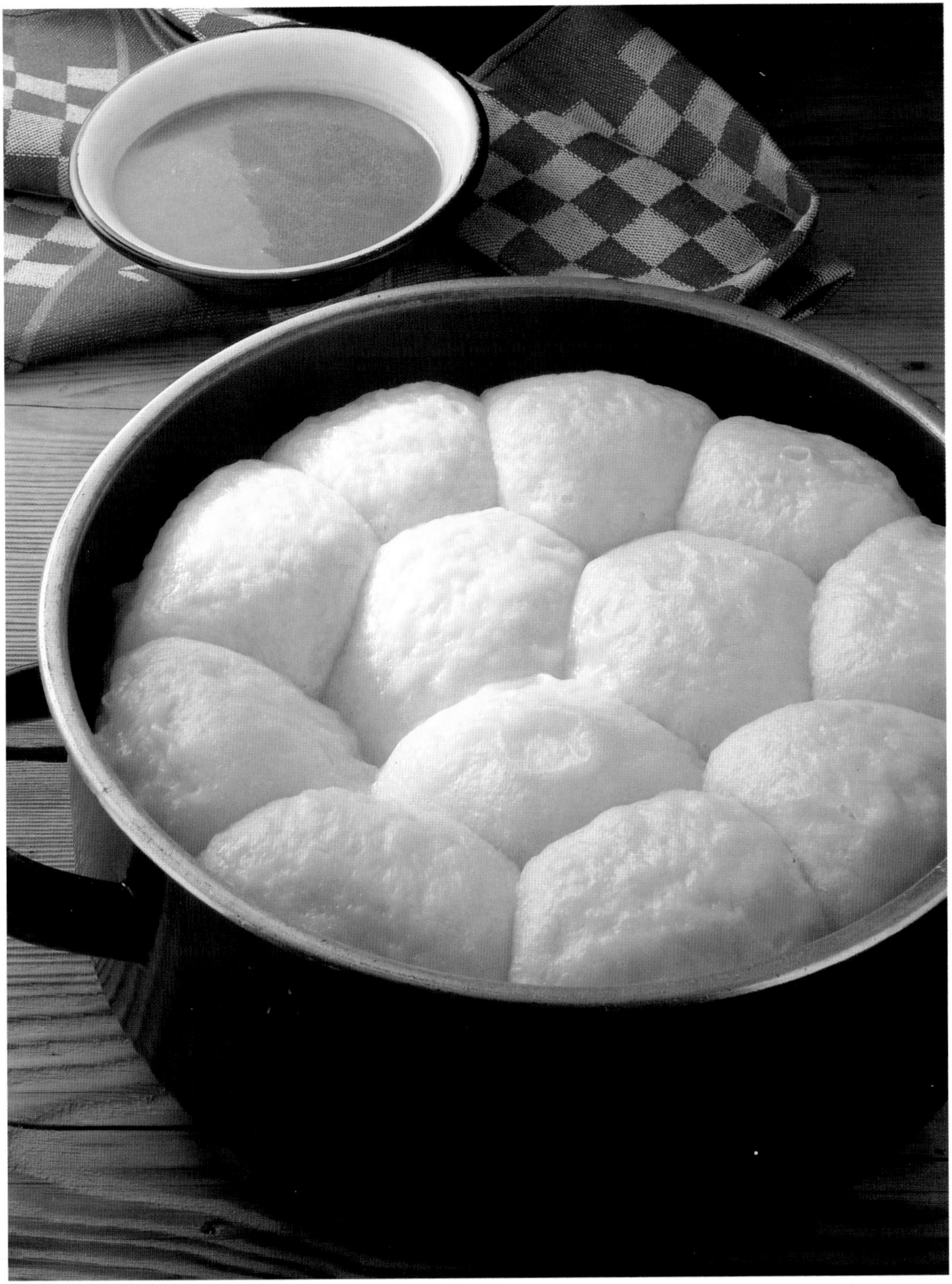

SÜSSE NASCHEREIEN

Pfitzauf

Für diese Süßspeise benötigen Sie eine spezielle Pfitzaufform mit halbkugelförmigen Vertiefungen.

Zutaten für etwa 12 Stück
(ausreichend für 4 Personen):
120 g zerlassene Butter
300 g Mehl · Salz
½ l warme Milch · 4 Eier
Zum Bestäuben: Puderzucker

Preiswert • Raffiniert

Pro Stück etwa:
900 kJ/215 kcal
6 g Eiweiß · 12 g Fett
20 g Kohlenhydrate

* Zubereitungszeit: etwa
  50 Minuten

1. Den Backofen auf 220° vorheizen. Die Pfitzaufform mit etwas von der zerlassenen Butter auspinseln.

2. Das Mehl in eine Schüssel sieben. Salz, die Milch, die Eier und die restliche Butter mit den Schneebesen des Handrührgerätes kräftig unterrühren.

3. Die Pfitzaufform oder die kleinen Förmchen je zu etwa drei Vierteln mit Teig füllen. Den Pfitzauf im Backofen (Mitte) etwa 30 Minuten backen.

4. Den Pfitzauf herausnehmen. Mit einem spitzen Messer aus der Form lösen und stürzen. Mit Puderzucker bestäuben und noch heiß servieren. Dazu paßt Kirschkompott.

Ofaschlupfer

Zutaten für 4 Personen:
500 g säuerliche Äpfel
Saft von ½ Zitrone
8 Brötchen vom Vortag
3 Eier
½ l Milch
200 g Sahne
Salz
80 g Zucker
1 Päckchen Vanillezucker
50 g Mandelblättchen
50 g Rosinen
Für die Form: weiche Butter
Für die Vanillesauce:
2 Eier
600 ml Milch
½ Vanilleschote
3 Eßl. Zucker

Preiswert

Pro Portion etwa:
3900 kJ/930 kcal
27 g Eiweiß · 44 g Fett
110 g Kohlenhydrate

* Zubereitungszeit: etwa
  1 ½ Stunden (davon
  45 Minuten Backzeit)

1. Die Äpfel waschen, schälen, von den Kerngehäusen befreien und in dünne Spalten schneiden. Mit dem Zitronensaft beträufeln. Die Brötchen in dünne Scheiben schneiden.

2. Die Eier trennen. Die Milch, die Sahne, Salz und die Eigelbe miteinander verquirlen. Den Zucker und den Vanillezucker unterrühren. Die Eiweiße steif schlagen und mit einem Schneebesen vorsichtig unterheben.

3. Den Backofen auf 220° vorheizen. Eine große, möglichst breite Auflaufform üppig mit Butter auspinseln. Die Zutaten in Lagen einschichten: zuerst Brotscheiben, dann Apfelspalten, Mandeln und Rosinen. Jede Lage mit etwas Eiermilch begießen. So fortfahren, bis alle Zutaten aufgebraucht sind. Die letzte Lage sollen Brotscheiben sein.

4. Den Ofenschlupfer im Backofen (Mitte) etwa 45 Minuten backen.

5. In der Zwischenzeit die Vanillesauce zubereiten. Die Eier trennen. Von der Milch eine Tasse abnehmen. Mit den Eigelben und dem Zucker verrühren.

6. Die restliche Milch in einen Topf geben. Die Vanilleschote längs aufschlitzen und das Mark herauskratzen. Schote und Mark in die Milch geben und alles aufkochen lassen, vom Herd nehmen. Die Eiermilch einrühren.

7. Den Ofenschlupfer noch heiß in der Form servieren. Die Vanillesauce heiß oder kalt getrennt dazu reichen.

Im Bild vorne: Pfitzauf
Im Bild hinten: Ofaschlupfer

Nonnenfürzle

Nonnenfürzle sind nichts »Anrüchiges«, sondern sehr feine, luftige Brandteigkrapfen.

Zutaten für etwa 20 Stück:
3 EßI. Butter
Salz
2 EßI. Zucker
100 g Mehl
2 Eier
½ Päckchen Backpulver
Zum Ausbacken: 750 g Fett
Zum Bestäuben: Puderzucker

Preiswert

Pro Stück etwa:
370 kJ/90 kcal
1 g Eiweiß · 7 g Fett
4 g Kohlenhydrate

- Zubereitungszeit: etwa 50 Minuten

1. In einem Topf die Butter, 1 Prise Salz, den Zucker und ⅛ l Wasser verrühren und erhitzen. Einmal aufkochen lassen und wieder vom Herd ziehen.

2. Das Mehl auf einmal dazugeben und mit einem Holzlöffel kräftig untermischen. Den Topf wieder auf den Herd stellen und den Teig bei schwacher Hitze so lange rühren, bis sich am Topfboden eine weiße Schicht gebildet hat.

3. Den Topf beiseite ziehen und die Eier nacheinander gründlich unter den Teig rühren. Das Backpulver dazugeben und darunterrühren. Den Teig abkühlen lassen.

4. In einer Friteuse oder in einem Topf mit hohem Rand das Fett auf 180° erhitzen. Halten Sie einen Kochlöffel in das heiße Fett: Wenn sich daran Bläschen bilden, ist es heiß genug. Von dem Teig mit einem Teelöffel kleine Klößchen abstechen und diese im heißen Fett goldgelb ausbacken. Vorsicht, Spritzgefahr!

5. Die Nonnenfürzle mit einem Schaumlöffel herausheben und auf Küchenkrepp entfetten. Mit Puderzucker bestreuen und sofort servieren. Dazu paßt Schlagsahne.

Zwetschgen-kucha

Zutaten für etwa 20 Stück:
500 g Mehl
1 Würfel Hefe (42 g)
80 g Zucker
200 ml lauwarme Milch
80 g weiche Butter
1 Ei
Salz
2 kg Zwetschgen
2 EßI. Hagelzucker
1 Teel. Zimtpulver
Für das Backblech: Fett und Mehl

Für Gäste

Pro Stück etwa:
800 kJ/190 kcal
4 g Eiweiß · 4 g Fett
34 g Kohlenhydrate

- Zubereitungszeit: etwa 2 ¼ Stunden (davon 1 Stunde Ruhezeit und 30 Minuten Backzeit)

1. Das Mehl in eine Schüssel sieben und in die Mitte eine Mulde drücken. Die Hefe hineinbröckeln und mit 1 Eßlöffel Zucker bestreuen. Die Milch dazugeben. Die Hefe mit der Milch und etwas Mehl zu einem flüssigen Vorteig verrühren. Zugedeckt etwa 15 Minuten gehen lassen.

2. Die weiche Butter, das Ei und 1 Prise Salz auf den Mehlrand geben. Alles mit den Knethaken des Handrührgerätes zu einem glatten Hefeteig verkneten. Den Teig mit Mehl bestäuben und zugedeckt etwa 30 Minuten an einem warmen Ort gehen lassen.

3. In der Zwischenzeit die Zwetschgen waschen, aufschneiden und entsteinen.

4. Den Hefeteig auf einer bemehlten Arbeitsfläche dünn ausrollen. Ein Backblech ausfetten und mit Mehl bestäuben. Die Teigplatte darauf legen.

5. Die Zwetschgen gleichmäßig auf der Teigfläche anordnen. Den Hagelzucker und den Zimt mischen und über den Zwetschgen verteilen. Den Kuchen nochmals etwa 15 Minuten gehen lassen. Den Backofen auf 200° vorheizen. Den Kuchen im Backofen (Mitte) etwa 30 Minuten backen.

Im Bild vorne: Nonnenfürzle
Im Bild hinten: Zwetschgenkucha

Apfelkucha mit Rahmguß

Zutaten für eine Springform von
28 cm Durchmesser:

Für den Mürbteig:

250 g Mehl

1 Ei

50 g Butter

1 Eßl. Zucker

Salz

Für den Belag:

50 g Rosinen

2 Eßl. Rum

1 unbehandelte Zitrone

1 kg säuerliche Äpfel (Boskop oder
Jonathan)

1 Teel. Zimtpulver

1 Eßl. Zucker

Für den Guß:

3 Eier

3 Eßl. Zucker

2 Eßl. Mehl

200 g Sahne

Zum Bestreuen: 50 g Mandelblättchen

Für die Form: Butter

Raffiniert • Für Gäste

Bei 12 Stück pro Stück etwa:
1400 kJ/330 kcal
6 g Eiweiß · 18 g Fett
34 g Kohlenhydrate

• Zubereitungszeit: etwa
1 $^3/_4$ Stunden (davon
50 Minuten Backzeit)

1. Für den Teig das Mehl auf
eine Arbeitsfläche sieben, in
die Mitte eine Mulde drücken.
Das Ei aufschlagen und hineingleiten lassen. Die Butter in
Flöckchen auf den Mehlrand
setzen, den Zucker und 1 Prise
Salz dazugeben. Alles rasch
verkneten und zur Kugel formen. Den Teig in Alufolie
wickeln und etwa 30 Minuten
im Kühlschrank ruhen lassen.

2. Die Rosinen mit dem Rum
mischen und beiseite stellen.
Die Zitrone waschen, die
Schale abreiben. Die Äpfel
waschen, schälen, von den
Kerngehäusen befreien und
vierteln. Den Zimt und den
Zucker mischen. Die Apfel-
scheiben mit der Zitronenschale
und dem Zimt-Zucker in einer
großen Schüssel gründlich vermengen.

3. Eine Springform einfetten.
Den Backofen auf 225° vorheizen. Den Teig auf bemehlter
Arbeitsfläche dünn ausrollen.
Die Form damit auskleiden.
Einen etwa 3 cm hohen Rand
formen. Den Teigboden mit
einer Gabel mehrmals ein-
stechen. Die Apfelviertel auf
dem Teigboden kreisförmig
anordnen. Die Rumrosinen
möglichst gleichmäßig auf den
Apfelvierteln verteilen.

4. Für den Guß die Eier und
den Zucker mit den Schneebesen des Handrührgerätes
schaumig rühren. Das Mehl
nach und nach dazugeben.
Zum Schluß die Sahne unterrühren.

5. Den Guß gleichmäßig über
die Apfelviertel gießen. Mit
den Mandelblättchen bestreu-
en. Den Kuchen im Backofen
(unten) etwa 50 Minuten
backen. Herausnehmen und
abkühlen lassen. Dazu paßt
Rumsahne.

*Ein besonders feiner Apfelkuchen,
der auch Ungeübten auf Anhieb
leicht gelingt.*

SÜSSE NASCHEREIEN

Nuß-Guatsla

Zutaten für etwa 60 Stück:
250 g gemahlene Haselnüsse
300 g Puderzucker
5 Eßl. kalter Kaffee
Für die Arbeitsfläche: Puderzucker
Für die Glasur:
2–3 Eßl. Zitronensaft
80 g Puderzucker
Zum Garnieren: Haselnüsse

Spezialität aus Stuttgart

Pro Stück etwa:
220 kJ/55 kcal
1 g Eiweiß · 3 g Fett
7 g Kohlenhydrate

- Zubereitungszeit: etwa
  30 Minuten
- Trockenzeit: etwa 8 Stunden

1. In einer Schüssel oder auf einer Arbeitsplatte die gemahlenen Haselnüsse, den Puderzucker und den Kaffee zu einem glatten Teig verkneten.

2. Ein Backblech mit Backpapier auslegen. Den Teig auf einer mit Puderzucker bestäubten Fläche oder zwischen Klarsichtfolie etwa 1cm dick ausrollen. Runde Plätzchen (Durchmesser etwa 4 cm) ausstechen und auf das Backblech legen. Mit Pergamentpapier abdecken. Die Plätzchen etwa 8 Stunden trocknen lassen.

3. Den Zitronensaft mit dem Puderzucker verrühren und die getrockneten Plätzchen damit überziehen. Jedes Plätzchen mit 1 Haselnuß verzieren.

Springerle

Dieses Weihnachtsgebäck ist weit über Schwabens Grenzen hinaus bekannt. Springerle sind jedoch nicht immer zum Verzehr bestimmt, sondern dienen, kunstvoll bemalt, auch als dekorativer Wandschmuck. Die für die Herstellung notwendigen Holzmodel sind wahre Kunstwerke und begehrte Sammlerobjekte.

Zutaten für etwa 25 Stück:
4 Eier
500 g Puderzucker
Hirschhornsalz
500 g Mehl
abgeriebene Schale von 1 unbehandelten Zitrone
1–2 Eßl. Anissamen

Braucht etwas Zeit

Pro Stück etwa:
560 kJ/130 kcal
3 g Eiweiß · 1 g Fett
27 g Kohlenhydrate

- Zubereitungszeit: etwa
  3 Stunden (davon 2 Stunden
  Ruhezeit)
- Trockenzeit: etwa 24 Stunden

1. Die Eier mit den Schneebesen des Handrührgerätes schaumig rühren. Den Puderzucker nach und nach dazusieben und unterrühren. Die Anissamen und die Zitronenschale dazugeben, die Hälfte des Mehls dazusieben und mit 1 Prise Hirschhornsalz ebenfalls unterrühren.

2. Den Teig auf eine leicht bemehlte Arbeitsfläche geben und mit dem restlichen Mehl zu einem festen, geschmeidigen Teig verkneten. Den Teig zur Kugel formen und zugedeckt etwa 2 Stunden ruhen lassen.

3. Ein Backblech oder ein großes Tablett mit Backpapier auslegen. Den Teig auf der leicht bemehlten Arbeitsfläche nochmals kurz durchkneten und etwa 1 cm dick ausrollen. Eine Springerleform mit Mehl ausstäuben. Ein Stück Teig in Größe der Form ausschneiden und fest hineindrücken.

4. Die Kanten sauber abschneiden. Die Form umdrehen und das Springerle vorsichtig herausklopfen. Auf das Backblech oder das Tablett legen. So fortfahren, bis der gesamte Teig verbraucht ist. Die Springerle zugedeckt etwa 24 Stunden bei Zimmertemperatur ruhen lassen.

5. Den Backofen auf 160° vorheizen. Die Springerle im Backofen (Mitte) 20–25 Minuten mehr trocknen als backen. Die Oberfläche darf nicht bräunen, sie muß schön weiß bleiben. Die Springerle etwa 3 Wochen kühl lagern, damit sie weich werden.

Im Bild vorne: Springerle
Im Bild hinten: Nuß-Guatsla

Spitzbuba

Kein Mensch weiß, warum dieses Weihnachtsgebäck so heißt – vielleicht deshalb, weil es so verführerisch schmeckt, daß es manchen Spitzbuben zum Naschen verführt.

Zutaten für etwa 50 Stück:
375 g Mehl
125 g gemahlene Mandeln
150 g Zucker
1 Päckchen Vanillezucker
250 g Butter
Zum Füllen: Himbeermarmelade
Zum Wälzen: Vanillezucker

Raffiniert

Pro Stück etwa:
480 kJ/115 kcal
1 g Eiweiß · 6 g Fett
15 g Kohlenhydrate

• Zubereitungszeit: etwa
2 Stunden (davon 30 Minuten Ruhezeit und 8–10 Minuten Backzeit)

1. Das Mehl auf eine Arbeitsfläche sieben. Die Mandeln, den Zucker und den Vanillezucker dazugeben. Die Butter in Flöckchen auf dem Rand verteilen und alles von außen rasch zu einem geschmeidigen Mürbteig verkneten. Den Teig zur Kugel formen, in Alufolie wickeln und mindestens 30 Minuten im Kühlschrank ruhen lassen.

2. Ein Backblech mit Backpapier auslegen. Den Backofen auf 180° vorheizen. Den Teig auf bemehlter Arbeitsfläche portionsweise dünn ausrollen und mit einer runden Form Plätzchen ausstechen. Diese auf das Backblech legen und im Backofen (Mitte) in 8–10 Minuten hellgelb backen.

3. Die Plätzchen noch heiß vom Blech nehmen. Auf der Unterseite mit Marmelade bestreichen und ein zweites Plätzchen mit der Unterseite darauf setzen. In Vanillezucker wälzen. So fortfahren, bis alle Plätzchen zusammengesetzt sind. Trocken und kühl lagern.

Bärentätzle

Ein urschwäbisches Weihnachtsgebäck, für welches spezielle »Bärentatzenformen« erforderlich sind. Die Plätzchen entfalten erst nach zwei bis drei Wochen ihren vollen Geschmack, weshalb Sie rechtzeitig mit dem Backen beginnen sollten.

Zutaten für etwa 25 Stück:
1 unbehandelte Zitrone
4 Eiweiß · Salz
1 Päckchen Vanillezucker
200 g Puderzucker
1 Eigelb
100 g geriebene Blockschokolade
50 g Kakao
350 g gemahlene Mandeln
je 1 Prise Zimt- und Nelkenpulver
Für das Backblech: Butter

Braucht etwas Zeit

Pro Stück etwa:
500 kJ/120 kcal
4 g Eiweiß · 8 g Fett
9 g Kohlenhydrate

• Zubereitungszeit: etwa
3 Stunden (davon 2 Stunden Kühlzeit und 15 Minuten Backzeit)

1. Die Zitrone heiß abwaschen, die Schale abreiben und die Zitrone halbieren. Eine Hälfte auspressen.

2. Die Eiweiße mit 1 Prise Salz zu schnittfestem Schnee schlagen. Nach und nach den Vanillezucker, den Puderzucker, das Eigelb, die Zitronenschale und den -saft, die Schokolade, den Kakao und die Mandeln mit den Schneebesen des Handrührgerätes darunterrühren. Den Teig zugedeckt etwa 2 Stunden kühl stellen.

3. Ein Backblech mit Butter ausstreichen. Den Backofen auf 180° vorheizen. Die Bärentatzenform mit Zucker ausstreuen. Etwa 1 Eßlöffel Teig hineindrücken und glattstreichen. Den überstehenden Teig abnehmen. Die Bärentatze aus der Form klopfen und auf das Backblech legen. So verfahren, bis der ganze Teig verbraucht ist.

4. Die Bärentatzen im Backofen (Mitte) etwa 15 Minuten backen. Die Plätzchen vorsichtig vom Blech nehmen und abkühlen lassen. In gut schließenden Gebäckdosen aufbewahren.

Im Bild vorne: Bärentätzle
Im Bild hinten: Spitzbuba

Hutzlbrot

Hutzeln sind getrocknete
Birnen. Allerdings sind im
schwäbischen Hutzlbrot noch
viele andere gute Sachen drin.

Zutaten für 7 Brote:
125 g getrocknete ungeschwefelte
Aprikosen
250 g getrocknete Birnen
250 g getrocknete Feigen
250 g getrocknete Kurpflaumen
ohne Stein
125 g Korinthen
250 g Rosinen
150 ml Zwetschgenwasser
oder Kirschwasser
250 g Zucker
1 Würfel Hefe (42 g)
250 g Mehl
1 Eßl. gemahlenes Anis
1 Eßl. Zimtpulver
je 1 Prise gemahlene Nelken,
gemahlener Kardamon und Ingwer
250 g gehackte Haselnüsse
50 g Orangeat, gewürfelt
50 g Zitronat, gewürfelt
Für das Backblech: Fett

Braucht etwas Zeit

Pro Brot etwa:
4200 kJ/1000 kcal
15 g Eiweiß · 34 g Fett
180 g Kohlenhydrate

- Zubereitungszeit: etwa
  2 Stunden
- Einweichzeit: mindestens
  8 Stunden, am besten über
  Nacht

1. Die Aprikosen, die Birnen,
die Feigen und die Pflaumen in
Würfel schneiden und in eine
große Schüssel geben. Die
Korinthen und die Rosinen
dazugeben. Die Früchte mit
dem Schnaps und dem Zucker
vermischen und zugedeckt im
Kühlschrank mindestens 8 Stunden, am besten über Nacht,
marinieren.

2. Am nächsten Tag die Früchte mit der Marinade in einen
Kochtopf umfüllen. Knapp ½ l
Wasser angießen. Alles erhitzen und etwa 5 Minuten
kochen lassen. Die Früchte in
ein Sieb abgießen, die Flüssigkeit auffangen.

3. Die Flüssigkeit nochmals
erhitzen. 1 Tasse davon abnehmen, etwas abkühlen lassen und die Hefe darin auflö-
sen. Das Mehl mit dem Anis,
dem Zimt, Nelken-, Kardamom-
und Ingwerpulver mischen und
auf eine Arbeitsfläche sieben.
In die Mitte eine Mulde
drücken, die aufgelöste Hefe
hineingießen. Alles mit etwas
Kochbrühe zu einem festen
Hefeteig verkneten. Den Teig
zugedeckt etwa 30 Minuten
gehen lassen.

4. Die Nüsse, das Orangeat,
das Zitronat und die Früchte
nach und nach unter den Teig
kneten. Sollte der Teig jetzt zu
klebrig sein, noch etwas Mehl
unterkneten. Den Backofen auf
200° vorheizen und das Backblech einfetten.

5. Aus dem Teig 7 etwa hand-
große Brote formen und nicht
zu dicht nebeneinander auf
das Backblech setzen. Um
jedes Brot einen Streifen Alufolie falten.

6. Die Früchtebrote im
Backofen (Mitte) etwa 1 Stunde
backen. Nach der Hälfte der
Backzeit die Hitze etwas verrin-
gern und die Brote mit Pergamentpapier abdecken.
Machen Sie die Garprobe:
Nehmen Sie ein Brot heraus
und klopfen Sie von unten
dagegen. Wenn es hohl klingt,
dann ist das Brot gar.

7. Die fertigen Brote aus dem
Ofen nehmen und sofort mit
dem restlichen Kochwasser
bepinseln.

Tips!

- Sie können auch andere
Trockenfrüchte und Nüsse in
das Hutzlbrot einarbeiten.
Wenn Sie Zitronat und
Orangeat nicht so gerne
mögen, können Sie darauf
ohne Probleme verzichten.
- Wenn Sie nicht soviele
verschiedene Gewürze
kaufen möchten, nehmen
Sie 1 Päckchen Lebkuchen-
gewürz.
- Den Alkohol können Sie
durch Pflaumensaft ersetzen.

Eine beliebte schwäbische Spezia-
lität, die sich auch gut als Mitbringsel
für Freunde eignet.

Zum Gebrauch

Damit Sie Rezepte mit bestimmten Zutaten noch schneller finden können, stehen in diesem Register zusätzlich auch beliebte Zutaten wie Käse und Teigwaren – ebenfalls alphabetisch geordnet und halbfett gedruckt – über den entsprechenden Rezepten.

IMPRESSUM

Umschlag-Vorderseite:
Das Rezept für Abgeschmelzte
Maultascha finden Sie auf
Seite 26

Redaktion: Claudia Daiber
Layout: Ludwig Kaiser
Typografie: Robert Gigler
Herstellung: Ina Hochbach
Fotos: Odette Teubner, Doro-
thee Gödert, Klaus Neumann
(Seite 4,6)
Umschlaggestaltung: Heinz
Kraxenberger
Satz: Computersatz Wirth,
Regensburg
Reproduktion: Artilitho, Trento
Druck: Grafedit, Bergamo
Bindung: Grafedit, Bergamo
ISBN 3-7742-1280-5

Auflage   7. 6. 5. 4. 3.
Jahr   1998 97 96 95 94

Rose Marie Büchele

wurde in einem geschichtsträch-
tigen Ort mit Namen »Hohen-
staufen«, inmitten der schwäbischen Alb geboren. Der elter-
liche landwirtschaftliche Betrieb
mit dazugehörender Bauern-
wirtschaft lassen sie heute noch
von den schwäbischen Lecker-
bissen ihrer Heimat schwär-
men. Der Besuch einer Haus-
wirtschaftsschule und das Prak-
tikum in mehreren gastronomi-
schen Betrieben führte sie meh-
rere Jahre quer durch Deutschland, zuletzt war sie als Haus-
wirtschaftsleiterin in einem Inter-
nat am Bodensee tätig. Heute
lebt sie mit ihrer inzwischen
großen Familie (vier Kinder) im
Schwäbischen.

Odette Teubner

wurde durch ihren Vater, den
international bekannten Food-
Fotografen Christian Teubner,
ausgebildet. Heute arbeitet sie
ausschließlich im Studio für
Lebensmittelfotografie Teubner.
In ihrer Freizeit ist sie begeister-
te Kinderporträtistin – mit dem
eigenen Sohn als Modell.

Dorothee Gödert

arbeitete nach ihrer Ausbildung
zur Fotografin zunächst im
Bereich Stillife- und Interieurfo-
tografie. Nach einem Aufent-
halt in Princeton/USA speziali-
sierte sie sich auf Food-Fotogra-
fie. Sie war bei namhaften
Food-Fotografen tätig. Seit
April 1988 fotografiert sie im
Fotostudio Teubner.